GULLIVER

Collection dirigée par
Stéphanie Durand

LE SORTILÈGE DE LA SORCIÈRE

Projet dirigé par Stéphanie Durand, éditrice

Conception graphique : Nathalie Caron et Nicolas Ménard
Mise en pages : Nathalie Caron
Révision linguistique : Sophie Sainte-Marie
En couverture : Montage réalisé à partir d'œuvres de
    shutterstock.com : © antipathique / © bioraven / © Plan-B /
    © dramaj

Québec Amérique
7240, rue Saint-Hubert
Montréal (Québec) Canada H2R 2N1
Téléphone : 514 499-3000, télécopieur : 514 499-3010

Nous reconnaissons l'aide financière du gouvernement du Canada
par l'entremise du Fonds du livre du Canada pour nos activités
d'édition.

Nous remercions le Conseil des arts du Canada de son soutien.
L'an dernier, le Conseil a investi 157 millions de dollars pour
mettre de l'art dans la vie des Canadiennes et des Canadiens de
tout le pays.

Nous tenons également à remercier la SODEC pour son appui
financier. Gouvernement du Québec – Programme de crédit
d'impôt pour l'édition de livres – Gestion SODEC.

Catalogage avant publication de Bibliothèque et Archives
nationales du Québec et Bibliothèque et Archives Canada

Bouchard, Camille
Les Atypiques
(Gulliver)
Sommaire : 3. Le sortilège de la sorcière.
Pour les jeunes.
ISBN 978-2-7644-3210-5 (vol. 3)
ISBN 978-2-7644-3211-2 (PDF)
ISBN 978-2-7644-3212-9 (ePub)
I. Bouchard, Camille. Sortilège de la sorcière. II. Titre. III.
Collection : Gulliver jeunesse.
PS8553.O756A89 2015   jC843'.54   C2015-940848-2
PS9553.O756A89 2015

Dépôt légal, Bibliothèque et Archives nationales du Québec, 2016
Dépôt légal, Bibliothèque et Archives du Canada, 2016

Imprimé au Québec

CAMILLE BOUCHARD

LES ATYPIQUES

LE SORTILÈGE DE LA SORCIÈRE

Québec Amérique

À mon amie, l'auteure Andrée Poulin

« Le chien a beau avoir quatre
pattes, il ne peut emprunter
deux chemins à la fois. »

Proverbe africain

PROLOGUE

Les Atypiques, c'est le nom de l'équipe de soccer de Rivière-aux-Moustiques, mon village, au Québec. Je suis gardien de but. Je m'appelle Iago. Mes parents sont originaires du Mexique.

D'ailleurs, dans mon club sportif, nous sommes tous un peu distincts les uns des autres soit par nos racines – Algérie, Congo, Haïti, Bosnie, etc. –, soit parce que notre esprit pense... différemment. Comme celui de Romain.

Romain est pensionnaire au Centre de soins pour déficience intellectuelle – La résidence Jardin des érables. Il ne faut pas croire que Romain est stupide. Loin de là.

Mais puisque son cerveau est, mettons, « hors norme », il perçoit le monde d'une façon qui lui est personnelle. Romain a onze ans, il intégrera notre classe de sixième année à l'automne.

M. Bolorsk est notre entraîneur. Nous ne savons pas de quel pays il est originaire. Il jure parfois dans sa langue – inconnue – et personne ne comprend. On suppose que ce ne sont pas de trop gros mots. De toute façon, quand nous ne jouons pas de notre mieux, rien que son expression est suffisante pour traduire son mécontentement. Les paroles n'ont donc plus vraiment d'importance.

Le docteur Groëm Astregham, le directeur du centre de déficience intellectuelle où demeurent Romain et ses amis atypiques, est originaire du même pays inconnu que M. Bolorsk. Quand ils ne veulent pas que l'on comprenne leurs échanges, les deux hommes parlent dans leur langue natale, un mélange de sons gutturaux et nasaux. Ils s'entendent très bien, tous les deux.

Ensuite, il y a Clarence, notre meilleur buteur. En fait, il s'agit… d'une buteuse. Là encore, il est rare de voir une fille comme joueuse de centre dans une équipe de garçons. Elle est haïtienne et vraiment très jolie. Mais bon, ça, je ne sais pas pourquoi je le mentionne, ce n'est pas tellement important. Clarence et moi sommes les cocapitaines du club… Les Atypiques !

Parce que c'est difficile de trouver plus atypique comme collectif, pas vrai ? Des joueurs d'origines différentes, une fille, un déficient intellectuel… Même le groupe d'admirateurs qui vient assister à nos parties est également très atypique. Non seulement retrouvons-nous nos parents comme pour toute équipe dite « normale », mais, en plus, nous profitons de l'enthousiasme contagieux des copensionnaires de Romain au centre de soins, soit Amédée, Jalbert, Angeline, Noëlla et compagnie.

Avec eux dans les gradins, les parties ne sont jamais, jamais ennuyantes. Mais elles sont parfois un peu pénibles pour l'arbitre et pour les autres spectateurs.

CHAPITRE 1

Les petits matins de compétition

— Alors, *chiquito*, pas trop nerveux ce matin ?

Mon père passe derrière moi en m'ébouriffant les cheveux. Je suis assis à la table de la salle à manger devant un bol de céréales. Je m'empresse d'avaler ma bouchée pour répliquer :

— *Papaíto*, je ne suis plus un *chiquito*. J'ai onze ans bien sonnés.

— Alors, *chiquito*, bien dormi ?

Ma mère, à son tour, passe derrière moi. Elle me colle un bisou sur la tête. Je grogne pour toute réponse.

— Pas de bonne humeur ? s'informe-t-elle en mettant la cafetière en marche.

Papa rétorque à ma place :

— Aujourd'hui a lieu le début officiel de la saison de soccer, c'est normal qu'il soit un peu tendu.

— Je ne suis pas tendu. C'est juste que je ne suis plus un *chiquito*, un… *petit* garçon !

— Mais si, on voit bien que tu es tendu, me contredit maman. Porte ta médaille de *Nuestra Señora de la Guadalupe*. Ça te portera chance.

Je réplique juste avant d'enfourner une pleine cuillerée de céréales :

— Tu ne vas même pas à la messe !

— Aucun rapport, riposte-t-elle en plongeant les doigts dans un bol fourre-tout sur le comptoir.

Elle en tire une chaînette avec une amulette de la Vierge.

— Notre-Dame s'en moque que ta mère prie ou pas. Prends ce pendentif, il t'aidera à gagner.

Je tends la main en répliquant :

— Sauf si un joueur adverse essaie de m'étrangler avec.

Ma mère referme prestement le poing sur le pendentif.

— Ça se pourrait ? s'inquiète-t-elle.

Mon père, des rôties dans les mains, contourne la table. Il dit :

— Nous ne sommes pas dans un roman. Allez, prends cette médaille, Iago. Tu feras plaisir à deux mamans : la tienne et celle du petit Jésus.

Je la saisis et, au lieu de pendre la chaînette à mon cou, je la mets dans la poche de mon pantalon. Je dis :

— Voilà, comme ça, c'est le compromis idéal. La Vierge est avec moi, et personne ne peut s'en servir pour m'étouffer.

Mon père éclate de rire au moment où la sonnette d'entrée résonne dans la maison.

J'avale rapidement une dernière grosse cuillerée de céréales et, mon verre de jus dans les mains…

— Il est tôt pour recevoir de la visite, fait maman en fronçant les sourcils en direction de la porte.

… je quitte la table pour aller ouvrir. La bouche pleine, je réplique :

— He boit hêt Hahence ou Bahivique gui vient me herher. On weut he hedrouher au dewain de sogger avwant dout we monhe bouh dégower les wancs hes sbecdadeurs awec hes bahons.

Mon père traduit au bénéfice de ma mère qui affiche une expression de totale incompréhension :

— Ce doit être Clarence ou Pacifique qui vient me chercher. On veut se retrouver au terrain de soccer avant tout le monde pour décorer les bancs des spectateurs avec des ballons.

— Mais enfin, qu'il ou qu'elle cesse d'appuyer sur cette sonnette ! Une fois suffit !

En buvant une grande gorgée de jus, j'ouvre la porte. La carrure imposante de Pacifique, mon meilleur ami, se découpe dans l'embrasure. Il a encore le doigt sur le bouton qu'il continue de presser de manière frénétique.

Pacifique est originaire du Congo. Il a mon âge, mais déjà le même gabarit qu'un adulte. Je ne sais pas jusqu'à quel moment se poursuivra sa croissance, mais si ça n'arrête pas avant quatorze ans, il ne pourra plus entrer dans l'autobus scolaire.

J'avale jus et céréales avant de dire :

— Ça va, Pacifique ! Tu peux lâcher la sonnette. La boîte électrique va exploser, sinon.

C'est quand il retire son index dans un sursaut que je remarque que mon copain est très nerveux. Il ne s'était pas rendu compte qu'il poussait toujours sur le bouton. De la sueur perle sur son front, à la racine de ses cheveux. Ses grosses joues ballottent.

Je fronce les sourcils et demande :

— Qu'est-ce qui se passe ?

— Re… regarde, Iago, balbutie-t-il en désignant de l'index un angle de la maison que je ne peux apercevoir de l'intérieur.

19

Je m'avance sur le perron et tourne la tête vers l'extrémité du terrain. Un chêne deux fois plus haut que la résidence monte la garde dans cette partie de la cour.

Tout à coup, je sens les poils se hérisser sur mes bras, et un frisson glacial parcourir ma nuque. Je manque de laisser échapper le verre que je tiens dans mes mains.

Pendu par une jambe à l'une des branches de l'arbre se balance un bébé couvert de sang ! Il… Non ! C'est… c'est une poupée. Une poupée décapitée, enduite de ketchup ! Mais pendant une seconde, j'ai vraiment cru que… Ouf !

— Et il y a la même chez moi ! tremblote la voix de Pacifique. Sauf que la poupée est noire. Comme moi…

CHAPITRE 2

Les mauvais fétiches

— C'est un fétiche, ça ! C'est pour le mauvais œil.

La voix de Pacifique tremblote toujours tandis qu'il parle à maman. Pendant ce temps, je maintiens l'échelle sur laquelle mon père est monté pour détacher la corde.

— Fétiche ou pas, c'est une blague de très vilain goût, affirme maman.

— Bon, ce n'est qu'une vieille poupée, réplique papa du haut des barreaux. On ne va quand même pas porter plainte à la police ! Ce n'est pas comme si on avait pendu un chat ou un chien.

Dans un dernier effort, mon père parvient à défaire le nœud. Il descend avec la corde tenue à bout de bras. Je recule rapidement d'un pas, car du ketchup tombe en flaques et je ne voudrais pas salir mes chaussures de sport.

— Et tu dis qu'il y avait la même chez toi ce matin ? demande maman à Pacifique.

— Oui. Une poupée plus petite, mais pendue de la même manière. Et avec encore plus de ketchup ! J'ai bien cru à un cadavre vidé de son sang.

— Ce ne sont que des blagues imbéciles, grogne papa en plaçant la vieille poupée dans le sac que je lui tends. Vous avez une idée de qui a fait ça ?

— Un joueur de l'équipe contre qui nous allons compétitionner aujourd'hui, peut-être ? suggère Pacifique.

Je dodeline de la tête, mais ce n'est pas pour désapprouver, car son opinion a du sens. Toutefois, je ne voudrais pas me mettre à accuser qui que ce soit avant d'être certain de…

— Ah ! À voir ce que vous venez de jeter dans la poubelle, je constate que vous êtes désignés, vous aussi, par le mauvais œil, fait une voix de fille dans notre dos.

Maman, papa, Pacifique et moi, nous pivotons en même temps vers la rue. Derrière la petite haie de cèdres qui longe le trottoir municipal apparaît Clarence. Elle a relevé ses épais cheveux en un gros chignon qui lui fait comme un casque au-dessus de la tête. On devine, sous son t-shirt blanc, les couleurs de notre équipe de soccer.

Les maillots sont arrivés hier et nous avons tous bien hâte de les porter. Mais M. Bolorsk a recommandé de les présenter au grand public seulement lorsque nous serons tous ensemble sur le terrain pour notre première partie officielle de la saison.

— Il y avait des dessins de monstres sur notre clôture, ce matin, annonce Clarence en franchissant le portillon d'entrée. On avait collé aussi des plumes noires avec de la cire chaude. Un travail bâclé, si vous voulez mon avis.

— Un dessin avec des monstres ? s'exclame maman, énervée.

— Oui. Mon père est très mécontent. Il venait de repeindre la clôture, en plus.

Elle fait une moue, puis poursuit :

— Je crois que quelqu'un des Carcajous dorés cherche à nous intimider.

Je précise à mon père dont le visage affiche une expression un peu égarée :

— C'est le nom de l'équipe de Sainte-Fabienne, contre laquelle on joue aujourd'hui.

Clarence poursuit :

— En tout cas, peine perdue. Moi, j'ai bien rigolé… enfin, jusqu'à ce que mon père soit furieux à cause du vandalisme. Chose certaine, ce n'est pas un Haïtien qui a pensé à nous intimider avec un dessin manqué et des plumes trouvées dans un vieux coussin.

— Mais avec les poupées ? s'inquiète Pacifique. Le mauvais œil peut opérer avec les poupées ! Surtout que la mienne, pendue devant la maison, elle était… noire !

Clarence prend une voix et une expression qui ressemblent à celles de maman, des fois, quand mes questions ou mon comportement commencent à l'exaspérer.

— Oh, je t'en prie, Pacifique ! J'espère que tu ne te laisseras pas intimider par des plaisantins. Tu joues leur jeu, alors. C'est ça qu'ils veulent, vois-tu : te faire croire que tu n'as aucune chance de gagner la partie aujourd'hui.

CHAPITRE 3
Les pieds dépareillés

À tout seigneur tout honneur, la première partie de la première saison de la première équipe de soccer de Rivière-aux-Moustiques se déroule… à Rivière-aux-Moustiques ! Devant nos partisans.

C'est pourquoi M. Bolorsk a jugé important de décorer les bancs qui serviront aux spectateurs. Il a même précisé :

— Et si, un jour, le public se fait plus nombreux, eh bien, *shclipen* ! On fera bâtir de vrais gradins.

— Comme à Grosse-Pierre, s'est réjouie Clarence.

En ce matin de l'inauguration de la saison de soccer, Pacifique, Clarence et moi, nous apportons donc des ballons pour orner les sièges en bois. Il y a de la place pour une cinquantaine de personnes au maximum. Avec nos parents, ceux de l'équipe adverse, quelques curieux de passage et la vingtaine d'« atypiques » qui viendront encourager Romain, leur idole, ça devrait être plein.

— Il y aura même la presse locale, nous apprend Marc-André.

Tandis qu'il dépose une boîte contenant nos chaussures de sport, il ajoute :

— André Verville du journal régional sera là pour prendre des photos et écrire un compte rendu de la partie.

— Notre photo va passer dans le journal ? s'excite Saad.

— Ouais.

— On va être les vedettes du comté ! se réjouit Yacine. Les gens nous demanderont des autographes.

— Si on ne se fait pas planter par l'équipe de Sainte-Fabienne, tempère

Dzevad. Là, tu serais moins content qu'un reporter ait assisté au match.

— Pourquoi on se ferait planter ? réagit Clarence en m'aidant à attacher une corde à l'extrémité d'un chapelet de ballons. Si nous jouons à la hauteur de notre talent, avec conviction et sans nous laisser distraire par les spectateurs et le journaliste, nous pouvons battre aussi facilement les Carcajous dorés que les champions de la ligue. Vous n'avez quand même pas oublié notre triomphe sur les Cailloux-de-Feu de Grosse-Pierre lors de notre partie de qualification pour l'ASoCo* ?

— Clarence a raison, approuve Pacifique. Nul ne peut nous vaincre si nous avons confiance en nous.

Mais pendant qu'il dit cela, je note qu'un éclat sombre passe dans son regard. Je connais bien mon meilleur ami et je sais à quel moment il est tendu. Je crois que l'histoire des poupées pendues et des dessins de monstres emplumés continue de le préoccuper.

---

* Voir le tome 2 de la série : *Le Masque de l'avant-centre*.

D'ailleurs, l'une des premières questions qu'il a posées à tout le monde, en arrivant au terrain, était : « Personne n'a remarqué quoi que ce soit d'anormal en sortant de chez lui, ce matin ? Pas de bris dans le jardin ? Pas de graffitis sur les murs ? Pas de poupée pendue dans les arbres ? »

— T'es bizarre, aujourd'hui, le Congolais, s'est-il fait répondre par Kim et Marc-André.

Ce qui l'a soulagé, car, m'a-t-il chuchoté deux secondes après :

— Ça prouve qu'ils n'ont rien noté d'anormal. Donc, peut-être qu'il n'y a pas de mauvais sort jeté sur nous.

Lorsque nous avons confié cette histoire à M. Bolorsk, ce dernier a riposté :

— Ne parlez pas de ces histoires à vos coéquipiers. Ça pourrait les déconcentrer avant la partie. Vous en discuterez après si vous y tenez.

— Même si on perd ?

— Vous ne perdrez pas, *crapountch* !

Au moment où Clarence et moi finissons d'attacher l'ultime chapelet de ballons aux bancs, Yacine s'exclame :

— Qu'est-ce que c'est que ça ?

Il s'adresse à Marc-André :

— Ton père, le vendeur de chaussures, il s'est trompé ou quoi ?

Yacine est penché sur la boîte qui porte son nom. Il en extirpe une paire de souliers de couleurs différentes : vert et orange. Et les deux teintes sont d'un éclat fluo très vif.

— Ooooh ! Qu'elles sont belles ! s'exclame Clarence.

— Non, mais attends, t'as vu les couleurs ? se plaint Yacine. Pas pareilles !

Kim s'esclaffe en affirmant :

— C'est embêtant, un vendeur qui mélange les coloris des godasses. J'espère que les miennes sont… Ah ben, flûte ! Les miennes, c'est la même chose ! Je veux dire : la même chose pas pareille. Vert et orange, quoi !

— Mais oui ! insiste Clarence en s'approchant des copains. C'est fait exprès. C'est ce qu'on a demandé. Ce sont les couleurs de notre uniforme. Alors, en plus du maillot et de la culotte, on aura deux pieds pour les exhiber : le vert à gauche, l'orange à droite.

— Original, fait Saad en jetant un œil incertain sur ses propres souliers qu'il vient de sortir de la boîte.

— *Shclipen !* Je n'avais pas encore vu. Moi qui pensais que ce serait une bonne idée de profiter d'une fille dans l'équipe pour choisir l'uniforme.

— Preuve que votre idée est sexiste, monsieur Bolorsk ! s'esclaffe Pacifique.

— En fait, le concept n'est pas de moi, avoue Clarence avec un petit air coupable.

— Comment ça, *crapountch* ?

Tous les gars lui retournent une expression étonnée. Elle confie :

— C'est Romain qui l'a suggéré. À cause des deux godasses dépareillées qu'il portait au match de qualification. Je me suis dit qu'un uniforme atypique convenait parfaitement à une équipe atypique dont le nom est…

— … les Atypiques, conclut lui-même M. Bolorsk en levant les yeux au ciel.

CHAPITRE 4

Les partisans arrivent à 7 h 22

La fourgonnette de M. Bolorsk nous sert d'écran près du mur qui donne sur le Jardin des érables. C'est là que nous enfilons notre nouvel uniforme. Si quelques-uns ont grogné pour la forme en apercevant les chaussures, plus personne ne se plaint lorsque nous revêtons le reste de notre habit.

Car il faut avouer que mes coéquipiers ont fière allure dans leurs couleurs éclatantes. Maillot vert fluo tombant sur une culotte orange fluo, un bas vert avec la chaussure orange d'un côté, un bas orange avec une chaussure verte de l'autre. Ça en jette, croyez-moi !

— Il n'y a que toi qui portes un ensemble complètement bleu, Iago. Désolée, me dit Clarence avec une fausse compassion. Mais tu le sais, les gardiens de but doivent porter un uniforme qui les distingue aux yeux de l'arbitre.

Je réplique en rigolant :

— Au moins, j'ai les mêmes chaussures dépareillées.

— Prenez-en soin, de cet uniforme, *shclipen* ! Il a été payé grâce aux efforts des joueurs de l'équipe de Grosse-Pierre qui ont organisé les activités de financement.

— Pour se faire pardonner le mauvais tour qu'ils nous ont joué lors de la partie de qualification, rappelle Clarence comme s'il était possible que nous ayons oublié ce détail*.

— C'est vous qui le lavez, le reprisez et faites en sorte de justifier tous les adjectifs positifs que j'ai utilisés à votre égard devant la direction, poursuit M. Bolorsk. D'ailleurs, tout le monde sera là aujourd'hui

—————————

* Voir le tome 2 de la série : *Le Masque de l'avant-centre*.

pour constater que vous êtes aussi bons joueurs que je vous ai décrits. Ne me faites pas mentir, *crapountch* ! De plus, il y aura également ces gens de l'ASoCo que vous connaissez déjà : M. Caron et M. Thibault, de même que Mme Ouimet. Ne les décevez pas, eux non plus.

— Merci, monsieur Bolorsk, réplique Yacine en dodelinant la tête. Vous ne nous mettez pas du tout de pression.

— Allons, allons ! riposte Clarence avant notre entraîneur. Moi, je ne me sens pas du tout angoissée. Si nous jouons comme nous en sommes capables, nous gagnerons. Rien ne nous intimide. Pas vrai, Pacifique ?

Elle vient de pivoter brusquement vers notre ami congolais. Celui-ci s'ébroue un peu en répliquant :

— Euh… non, non, absolument rien. Pas… pas l'ombre d'un petit stress.

Je crois que, comme moi, Clarence se préoccupe de la réaction de Pacifique à propos des poupées et du dessin. Et même si, de mon côté, je démontre beaucoup d'assurance, je ne peux éviter de placer la main à la hauteur de ma cuisse, là où je sens, à travers le tissu, au fond de ma poche, la médaille de *Nuestra Señora de la Guadalupe*.

Je m'apprête à ajouter un petit mot encourageant, mais j'en suis empêché. Des cris retentissants viennent d'ébranler l'aire de côté du stationnement. Inutile de nous interroger, nous savons ce qui se passe.

Notre coéquipier Romain arrive avec sa bande de partisans, les patients du Centre de soins pour déficience intellectuelle – La résidence Jardin des érables.

— *Shclipen* ! Groëm ! Vieux brigand, comment vas-tu ?

— Et toi, Bolorsk ? *Crapountch* ! Sacrée canaille !

Le directeur du centre de soin Jardin des érables – « la maison des fous » comme l'appellent encore les mauvaises langues – et notre entraîneur se font une longue accolade. On dirait qu'ils se sont perdus de vue depuis des années, mais les « atypiques » étaient avec nous lors de l'entraînement d'avant-hier.

— *Dépêchons! Dépêchons! Il est déjà 7 h 22!*

— Salut, Romain !

— Salut, Romain !

Nous accueillons notre ami souffrant de déficience intellectuelle légère avec le même entrain que si, nous aussi, nous ne l'avions pas vu depuis longtemps. Il faut dire que nous sommes tous très attachés à lui. Il est si gentil. Nous nous moquons bien qu'il ait une idée fixe concernant l'heure à laquelle sa montre à aiguilles s'est cassée, c'est-à-dire 7 h 22. Nous connaissons ses raisons* et nous le respectons pour ça.

Avec lui, comme toujours, arrive la bande de copensionnaires du centre de soins. Pour eux également, nous ressentons un fort élan d'affection : le brave Amédée, avec sa casquette de policier en plastique, qui se croit auréolé d'une autorité qu'il ne possède pas, bien entendu. Puis Jalbert,

---

*   Voir le tome 1 de la série : *Ce jour-là, à 7 h 22.*

trop gentil pour faire mal à qui que ce soit, surtout pas aux poissons, et qui préfère pêcher sans hameçon. C'est pourquoi il prend des huîtres au filet – huîtres qui débordent de son sac à piquenique, d'ailleurs.

Ensuite arrive Gargantua, un véritable géant, bâti pour tout casser, d'une maladresse qui fait en sorte qu'il casse tout, bien sûr, mais avec un cœur plus doux qu'un doudou et tellement à fleur de peau qu'il pleure pour des riens. C'est pourquoi, si nous ne voulons pas voir le terrain inondé de larmes, nous avons tout intérêt à gagner la partie.

Puis vient Angeline, une femme très âgée, maigre comme un fil d'araignée, de larges lunettes posées sur son nez minuscule. Elle ronchonne sans arrêt et est réputée pour ses réactions très vives dès que le jeu n'est pas à son goût…

— À mort l'arbitre!

— LA PARTIE N'EST PAS COMMENCÉE, ANGELINE.

Celle qui la suit sans la quitter d'un pas est Noëlla. Une grosse fille dans la vingtaine qui grognonne continuellement et sans raison, comme un petit cochon. Même si, à première vue, la mine de ces deux copensionnaires n'inspire pas l'attirance, à mesure qu'on apprend à mieux les connaître, on finit par apprécier leur franchise, leur camaraderie et leurs réflexions loufoques.

Pour terminer la présentation de cette belle bande de partisans atypiques, il y a une quinzaine de patients supplémentaires du centre de soins dont nous ignorons les noms, car ils varient beaucoup d'une fois à l'autre. Plusieurs d'entre eux ne font que de courts séjours à la clinique et ne reviennent plus après.

N'empêche que ceux-là également, en général, sont aussi colorés que les habitués que nous connaissons mieux.

CHAPITRE 5
Le grand sac fourre-tout
en paille tressée

À mesure que les bancs se remplissent et que nos parents arrivent pour assister à la partie, nous nous plaisons à pavaner devant eux pour montrer notre nouvel uniforme. Si la plupart s'enthousiasment en poussant des exclamations du genre « Oh, wow ! C'est original ! » et « ¡ *Caray* ! ¡ *Que bonito* ! » – ça, c'est mon père –, d'autres se contentent de nous lancer un regard rond et surpris.

— Ça vous plaît, madame ?

Je minaude devant la – jolie – maman de Dzevad, celle qui ressemble à Lady Gaga.

— Le bleu te va très bien, Iago, réplique-t-elle avec un clin d'œil. Mais l'orange et le vert de tes chaussures jurent un peu avec le reste.

— Hé ! Iago ! me crie Saad, de la ligne médiane. Y a M. Bolorsk qui veut qu'on se regroupe de l'autre côté du terrain, sur le banc des joueurs.

— J'arrive. À plus tard, madame !

Je croise Pacifique qui est planté en plein milieu du cercle de mise en jeu et qui regarde devant lui sans même paraître me reconnaître.

— Ben quoi, Pacifique ? Tu viens ou tu attends l'autobus ?

Il me répond par une question et toujours sans poser les yeux sur moi :

— Iago, t'as vu la spectatrice qui est arrivée tantôt ?

— Il y a pas mal de monde, on dirait qu'on va manquer de place. De quelle spectatrice parles-tu ?

— La vieille femme, complètement à droite, sur la série de bancs réservés aux

« atypiques ». Tu la vois ? Celle avec le parapluie comme parasol ?

Je repère une femme noire assez corpulente, coiffée d'un épais serre-tête aux nuances de rouge et de brun qui s'agence avec une ample robe. Elle affiche un visage très très ridé, mais je note qu'elle arbore aussi des cicatrices qui peuvent la faire paraître beaucoup plus âgée. On l'a appris à notre cours de géographie : chez les Africains, c'est assez fréquent de recourir à ce qu'on appelle des « scarifications », des cicatrices rituelles. Ça peut être religieux, ethnique ou… simplement coquet.

Des colliers pendent au cou de la femme, et de nombreux bracelets entourent ses avant-bras. Un large sac fourre-tout en paille tressée est posé sur ses cuisses. De sa main gauche, elle tient le pied du parapluie rose qui la protège du soleil.

Son aspect jurerait à Grosse-Pierre, la ville voisine où vit une très grande majorité blanche francophone, mais ici, à Rivière-aux-Moustiques, dans notre village multiculturel, et surtout à deux pas des copensionnaires du Jardin des érables, son apparence ne fait qu'ajouter aux couleurs locales.

Je dis à Pacifique :

— D'accord, je la vois. Qu'est-ce qu'elle a, cette femme ?

— Elle me regarde à tout bout de champ et…

— Peut-être qu'elle te trouve super joli.

— Ouais, c'est ça. Tantôt, quand elle a ouvert son grand sac pour prendre son parasol, j'ai vu qu'elle transportait… un coq mort.

— Allons donc !

— Je te jure.

— Bon, mettons. Et alors ?

Il me fait une mine aux yeux arrondis. La lèvre inférieure tremblotante, il réplique :

— Un coq mort ! Mais avec ses grigris au cou et son visage scarifié, elle a tout d'une sorcière ! N'importe quel Africain sait ça !

— Pacifique ! Ne dis pas de sottises !

— C'est toi qui refuses d'admettre que nous sommes bel et bien devant… Et puis, zut, Iago ! Est-ce que tu trouves que cette femme ressemble à l'amateur type qui va assister aux matchs de soccer ?

— Pourquoi pas ? Ne juge pas les gens sur leur apparence. Si on faisait pareil, on pourrait penser que tu es… l'incroyable Hulk.

M. Bolorsk s'impatiente et nous fait de grands signes. Je donne une tape sur l'épaule de Pacifique pour l'inviter à m'emboîter le pas. Tout en se mettant à courir à côté de moi, il demande :

— Hulk ? Tu me trouves si costaud que ça ?

Je pince les lèvres pour ne pas rire et réponds :

— Non. C'est surtout à cause de ton maillot vert.

CHAPITRE 6

Les Carcajous dorés

Les joueurs de l'équipe de Sainte-Fabienne, les Carcajous dorés, arrivent en convoi de quatre minifourgonnettes dans lesquelles se trouvent également leur entraîneur et leurs parents. Les trois représentants de l'ASoCo, l'Association de soccer du comté, dans autant de voitures, les suivent de près. L'arbitre, M. Patenaude, le même que lors de notre match de qualification, se présente bon dernier... à vélo.

M. Bolorsk va saluer tout ce monde avec l'air solennel d'un chef d'État, mais je crois que c'est surtout pour impressionner notre directeur d'école que je viens de voir s'asseoir sur le banc des spectateurs.

Celui-ci cherche à garder un profil bas, soit pour ne pas nous intimider, nous, les élèves de son établissement, soit dans l'idée de nous observer incognito, ce qui, avouons-le, est totalement raté.

À quelques places de lui, je remarque deux gars qui sont arrivés à vélo, plus tôt. Ils n'ont rien de particulier, sauf qu'ils gardent en permanence sur leur tête leur capuchon, ce qui masque leur visage.

— Ils ont l'air plutôt plutôt doux, les Carcajous, t'as vu ?

C'est Clarence qui s'est approchée de moi. Du menton, elle me désigne les joueurs adverses en train de s'installer sur le banc de touche voisin du nôtre. Je remarque à mon tour que les garçons de Sainte-Fabienne sont tous assez petits et ne semblent pas très agressifs. Têtes blondes ou brunes et peau blanche des francophones de souche – sauf un Noir et un Amérindien. Ils sourient timidement, échangent des bouteilles d'eau, s'entraident pour enfiler les maillots…

Le marron et l'or sont les couleurs dominantes de leur habillement. Les gars paraissent d'ailleurs fascinés par les teintes flamboyantes du nôtre.

— Clarence et Iago, cocapitaines des Atypiques, voici Xavier, capitaine des Carcajous dorés.

C'est M. Patenaude qui nous présente les uns aux autres avant de nous lancer la pièce de monnaie déterminant, à pile ou face, qui amorcera la partie. Puis je regagne mon but d'où j'entends le coup de sifflet de la mise en jeu.

Dès les premières secondes, la foule s'anime, notamment nos parents – n'oublions pas que nous jouons à domicile – et, qui s'en étonnera, les « atypiques », nos plus fervents partisans.

— Vas-y, Romain! Botte le ballon!

— Romain! Romain! Romain!

— Vive les Atypiques!

— Vive Iago et Clarence!

— Passe-moi les huîtres!

— À mort l'arbitre!

La première demie s'écoule à s'échanger le ballon de part et d'autre. Je dois faire face à deux tirs assez surprenants partis de très loin, sinon je n'ai pas vraiment beaucoup de travail.

Les joueurs avant des Carcajous dorés ont tendance à vouloir monter par la droite, où opère Pacifique, mon défenseur latéral gauche. Comme celui-ci couvre large, nos adversaires sont forcés de passer aux coureurs du flanc opposé, ce qui ralentit les attaques. Je présume que leur entraîneur, à la pause, leur demandera de foncer plutôt du côté de Saad pendant la deuxième demie. Mais j'ai remarqué que leurs ailiers gauches étaient moins rapides. Je ne crois pas que ça les avantagera beaucoup.

À la 20e minute, une belle série de passes entre Romain et Clarence mène au premier but du match. L'hystérie éclate dans l'assistance. Sur les bancs de nos partisans, bien sûr. Du côté des parents de Sainte-Fabienne, c'est plutôt la déception.

— VIVE CLARENCE !

— Tu n'es pas seulement jolie, clarence! Tu es la meilleure!

Je suis assez d'accord avec ce cri lancé par Jalbert. J'aimerais toutefois qu'il cesse d'agiter son sac d'huîtres au-dessus de tout le monde. Les coquilles tombent partout autour du banc. Ça énerve le docteur Astregham qui menace l'« atypique » d'un index autoritaire. Gargantua, toujours à fleur de peau, se met à pleurer, ce qui, de la part d'un géant de son acabit, surprend forcément les parents de Sainte-Fabienne et dessine sur leur visage des expressions inquiètes.

Le but marqué par mon amie haïtienne semble déstabiliser un peu les Carcajous dorés. À la reprise du jeu, ils mettent trop de temps à synchroniser leurs mouvements. La balle est récupérée par Kim, au centre, et sa passe vers Marc-André permet une échappée à trois contre deux de Dzevad, Clarence et Romain.

De ma position éloignée, je ne vois pas très bien de quelle façon ça se déroule, mais je peux constater que celui qui parvient à secouer le fond du filet avec le ballon est Romain. Comme toujours, lorsque c'est lui qui marque un but, ça déclenche la folie furieuse chez les pensionnaires du Jardin des érables.

— Romain! Romain! Romain!

— Vive Romain!

— **VIVE CLARENCE!**

— Passe-moi les sandwiches!

— À mort l'arbitre!

Notre copain atypique court le long de la ligne de touche du côté des spectateurs, les bras dans les airs. Il crie à Amédée:

— Tu as inscrit l'heure de mon but, Médée?

— Je m'empresse de le faire, garçon, répond l'homme en sortant ses éternels carnet et crayon. **On écrit quoi?**

Romain colle le nez sur sa montre et lance:

— 7 h 22!

— Je note.

Noëlla et Gargantua, à deux pas du banc, dansent une sorte de tango lourdaud qui finit par une roulade sur la pelouse. Jalbert offre généreusement des huîtres et des raisins à nos parents – qui refusent avec conviction – pendant que le docteur Astregham a fort à faire pour calmer Angeline qui, comme d'habitude, sans aucune raison, vocifère en direction de l'arbitre, les lunettes sur le bout du nez, son poing minuscule devant elle.

Une fois de plus, je me sens à la fois amusé et ému de voir réagir nos partisans atypiques. Je les trouve si attachants dans leurs réflexes extrêmes. Je constate aussi avec satisfaction que mes parents, ceux de Saad, de Yacine, de Clarence, de Pacifique et tous les autres, dont la – jolie – maman de Dzevad, semblent s'amuser et s'émouvoir également de nos copains hors normes.

Et je me sentirais pleinement heureux de cette belle journée, pleinement confiant… s'il n'y avait cette femme africaine que j'avais un peu oubliée, avec ses scarifications, ses grigris et son sac qui contiendrait un coq mort. Je l'aperçois soudain en train de fixer Pacifique avec des yeux exorbités.

CHAPITRE 7

Le sortilège

À la reprise de la deuxième demie, comme je l'avais soupçonné, les Carcajous dorés essaient de percer la défense du côté de Saad. Et, toujours comme je l'avais soupçonné, puisque les coureurs sont moins rapides sur ce flanc, ils se font chaque fois intercepter par nos demis de terrain.

Je ne peux m'empêcher de jeter un œil de temps à autre en direction de la… « sorcière », appelons-la comme ça. La femme ne parle à personne et reste bien tranquille à l'ombre de son parapluie rose.

Et même quand le jeu se déroule de l'autre côté du terrain, elle fixe Pacifique. Sans arrêt.

Je ne veux pas en discuter avec mon gros copain pour ne pas l'inquiéter davantage, mais je note que lui aussi a repéré le manège de l'inconnue. Et cela finit par affecter ses réactions.

À la 33e minute, une échappée des avants de Sainte-Fabienne se fait de son flanc à lui. Pacifique plie un peu les genoux, prêt à bondir d'un côté ou l'autre pour couper l'angle des deux joueurs qui montent vers lui… mais il reste figé sur place.

Le duo de Carcajous dorés le contourne facilement et arrive sur moi ! Du coin de l'œil, je constate que Saad se positionne près du deuxième poteau afin de couvrir cette ouverture qu'il m'est impossible de bloquer. Ma gorge s'assèche, et je ne peux plus déglutir.

Comment réagira le possesseur du ballon ? Va-t-il m'obliger à bouger à droite pour tirer à gauche ? Me faire croire à cette stratégie et lancer effectivement à droite ? Faire une passe à son coéquipier rendu en plein milieu de la surface de réparation ?

Pendant une fraction de seconde, l'œil gauche de mon rival papillote, indiquant qu'il cherche son coéquipier. Je bondis donc sur ma droite en même temps qu'il envoie le ballon vers le centre de la surface de réparation. Le deuxième joueur reçoit la boule de caoutchouc un peu mollement sur la cheville et la pousse vers le milieu du but.

Mais puisque je suis déjà largement en mouvement de ce côté, je capte le projectile à deux mains. Je le retiens contre ma poitrine et ne donne pas de retour.

Fin de la menace.

— Iago! Iago! Iago!
— *Vive Iago!*
— Vive le filet!
— Passe-moi le jus!

Pendant que nos partisans célèbrent mon jeu, je m'empresse de m'approcher de Pacifique. Ce dernier est figé dans la même position depuis que l'avant des Carcajous dorés l'a contourné.

— Eh bien, quoi, Pacifique? Ça va?

Il sursaute comme on sort d'un mauvais rêve.

— L'échappée ! s'écrie-t-il. Ils vont…

Puis il constate que le jeu est terminé autour de lui. Je place une main sur son épaule – qui se trouve à la hauteur de mon nez.

— Qu'est-ce qui t'arrive, copain ? Tu t'es endormi ou quoi ?

Je remarque que son visage est en sueur. Ses yeux roulent dans leurs orbites. Je m'apprête à m'informer une fois de plus quand Clarence, arrivant près de nous, me devance :

— Alors, Pacifique ? Tu as mal quelque part ? Pourquoi tu n'as pas réagi ?

Je note que M. Bolorsk nous regarde à partir du banc. Il paraît moins inquiet qu'intrigué.

— C'est la… la sorcière, bégaie notre ami congolais. C'est la sorcière, là-bas, qui m'a paralysé.

Clarence, qui n'est pas au courant de cette histoire, fronce les sourcils et balbutie :

— Hein ? Qu'est-ce que tu racontes ? Quelle sorcière ?

Du menton, je désigne discrètement la femme qui nous observe sous l'ombre rosée de son parapluie. Pacifique lui tourne le dos et répond en claquant des dents :

— Je suis certain que c'est elle pour les poupées pendues et les monstres devant nos maisons. Elle nous a jeté un sort.

CHAPITRE 8

Le regard qui paralyse

— Mais pourquoi cette femme nous aurait-elle jeté un sort, Pacifique ? demande Clarence.

— Je ne sais pas, moi. Elle doit travailler au profit des Carcajous dorés. Il faut qu'elle parte d'ici.

Clarence dit :

— J'ai de la misère à croire que cette équipe de petits Blancs aurait embauché une sorci…

— Il y a un Noir parmi eux ! l'interrompt Pacifique.

J'ajouterais bien qu'il y a des limites à accuser les gens selon la couleur de leur peau, d'autant plus que Pacifique et Clarence sont noirs, mais elle ne m'en laisse pas le temps. Elle vient de jeter un rapide regard en direction de la femme au parapluie rose et dit :

— Elle est toute tranquille, cette dame, Pacifique. On n'a aucun prétexte pour la renvoyer. On ne le fera pas juste parce que tu as peur d'elle.

— Est-ce que tout va bien ici ?

C'est M. Patenaude, l'arbitre. Il s'approche en s'informant :

— On perd beaucoup de temps, là. Il y a un blessé ?

— Non, non, ça va, monsieur, réplique Clarence. Notre ami Pacifique se sentait un peu étourdi, mais, maintenant, ça va mieux.

— Vraiment, mon garçon ? demande l'officiel. Tu veux continuer à jouer ou aller à ton banc ?

Pacifique jette un coup d'œil inquiet vers la femme, revient poser le regard sur nos mines contrariées, à Clarence et à moi, puis finit par abdiquer.

— Non, je me sens mieux, dit-il en laissant ses épaules s'affaisser comme on s'abandonne à un poids trop lourd. C'était juste passager.

— Très bien ! Alors, on reprend le jeu !

L'entraîneur des Carcajous dorés saisit rapidement qu'il y a un problème avec la défense de Pacifique. Il encourage donc ses avants à monter sur ma gauche. C'est pourquoi, entre la 33e et la 44e minutes, toutes les attaques se font de ce côté. Saad l'a compris aussi et m'aide de son mieux.

Heureusement que, le plus souvent, le ballon est en possession de notre équipe. Ça réduit les chances de nos rivaux. Nous empêchons plusieurs jeux dangereux jusqu'à ce qu'arrive ce qui devait arriver : un demi de terrain adverse contourne Pacifique avec une facilité déconcertante et monte le long de la ligne de touche sur ma gauche.

Le garçon se rend jusqu'à la hauteur de la ligne des buts et botte au centre. Deux de ses coéquipiers, qui approchaient aussi du côté de Pacifique, s'emparent de la balle, l'échangent deux fois, puis visent l'ouverture béante que j'ai dû me résigner à abandonner sur ma gauche.

Le ballon secoue les cordages, au vif plaisir des partisans de Sainte-Fabienne qui bondissent de leurs bancs. Notre avance fond de la moitié, passant de deux à zéro à deux à un.

— C'est de la triche! Le but d'Iago est trop grand!

— À mort le ballon!

Une fois de plus, je m'empresse d'aller trouver mon copain congolais. En prenant bien soin de ne pas utiliser une voix contrariée, je m'informe:

— Qu'est-ce que tu as, Pacifique? Il était facile à arrêter, ce joueur! Pourquoi tu l'as laissé faire?

Et là encore, son visage est en sueur quand il réplique:

— Mais parce que je ne peux pas, Iago! Chaque fois que je dois répondre à une séquence de jeu, il y a cette femme qui me fixe avec son regard qui paralyse !

CHAPITRE 9

De peine et de misère

Si la partie se termine finalement sans que les Carcajous dorés puissent ajouter un autre but à leur fiche, c'est grâce à la stratégie de M. Bolorsk. Il a compensé l'apathie de Pacifique par un jeu entièrement défensif. Plus question pour nos avants, Romain, Clarence et Dzevad, de foncer à l'attaque, pas plus pour Marc-André, Kim et Yacine, nos demis de terrain. Ils devaient protéger le flanc gauche.

C'est ainsi que, pour les six minutes restantes, nous avons conservé notre maigre avance.

Notre équipe de Rivière-aux-Moustiques remporte donc son premier match à vie devant ses partisans enthousiastes – et je ne parle pas nécessairement des « atypiques » –, mais au prix d'une deuxième demie terne et axée sur un jeu fermé.

— Vive les Atypiques ! s'écrie-t-on de toutes parts sur les bancs des patients de la résidence Jardin des érables.

— **VIVE IAGO ET CLARENCE !**

— Romain ! Romain ! Romain !

— T'as vu, Iago ? On a gagné à exactement 7 h 22.

J'accepte l'accolade joyeuse de Romain et j'envoie la main à mes parents qui nous applaudissent au loin. Ils sont imités par les familles de mes coéquipiers, bien sûr.

Il y a également des manifestations polies du côté des partisans de Sainte-Fabienne. Les adultes paraissent déçus que leur club ait perdu, mais, en même temps, ils ne peuvent nier que nous avons mieux joué.

Le représentant du journal régional prend des notes en discutant avec M. Bolorsk. Ce dernier me semble plus soulagé que ravi. Le journaliste désigne l'appareil photo à son cou, et notre entraîneur réplique avec de grands hochements de tête. J'en conclus qu'il accepte qu'un portrait du club paraisse dans l'hebdomadaire. J'espère ! Tous mes coéquipiers et moi, nous ne rêvons que de ça : être des vedettes dans les médias régionaux.

Les représentants de l'ASoCo rangent leurs documents, satisfaits. Il y a bien Mme Ouimet qui y va de ses « oui, mais… » habituels, sauf qu'aucun des deux hommes qui l'accompagnent ne semble y prêter attention.

Pendant que notre directeur d'école se lève et dévoile enfin sa présence au grand jour, je jette un œil sur l'extrémité du banc d'où nous dévisageait la sorci… je veux dire la femme étrange avec son parapluie rose.

Elle a déjà disparu !

Et, comme par hasard, Pacifique semble avoir recouvré toute l'énergie qui le caractérise de coutume. Je le vois enlacer Clarence, puis Dzevad, puis Kim avant de venir me soulever dans ses bras de contentement.

— On les a eus, Iago ! On a remporté notre match d'ouverture ! Pour la première fois, Rivière-aux-Moustiques peut se vanter d'avoir une équipe de soccer digne de ce nom dans l'ASoCo !

J'ai presque envie d'ajouter que ce n'est pas grâce à lui, mais ce serait briser inutilement son enthousiasme. Il y a quand même un lien étrange à établir entre la présence de la femme et l'apathie soudaine qui est tombée sur mon copain pendant la partie.

Je lui retourne donc ses manifestations de réjouissances avant de trotter vers les bancs des spectateurs pour recevoir les congratulations de mes parents. D'ailleurs, la plupart de mes amis y sont déjà et, avec de la chance… j'aimerais profiter de cette ambiance enjouée pour obtenir un bisou de celle qui ressemble à Lady Gaga, la – jolie – maman de Dzevad.

CHAPITRE 10

La petite fête
chez les « atypiques »

Nous avons tous été invités à célébrer l'après-premier match dans la grande salle des fêtes de la résidence Jardin des érables. En notre honneur, les patients du centre de soins pour déficience intellectuelle ont décoré les murs, les tables, le tour des fenêtres, les plafonds et les lustres avec des ballons, des guirlandes, des serpentins et des tas d'images diverses touchant de près ou de loin le soccer.

Le résultat est plus hétéroclite que beau, mais nous sommes émus. Après tout, les « atypiques » ont investi avec cœur pour nous faire plaisir, à nous, leurs idoles sportives du village…

— Mais aussi à leurs grands amis, a précisé le docteur Astregham à M. Bolorsk. Car n'oublions pas que les patients avec une déficience intellectuelle souffrent également d'ostracisme, de rejet.

Clarence, Pacifique et moi, nous nous trouvons juste à côté d'eux, près de la table à sandwiches. Dans un fauteuil non loin, Angeline tricote. Ses pieds pendent sans toucher le sol, car ses jambes sont trop courtes. Elle est émouvante, comme ça. On dirait une petite fille avec des rides de grand-maman.

— Vous tricotez quoi, madame Angeline ? demande Clarence qui, je suppose, ressent la même affection que moi pour la femme.

— Je tricote des années, ma petite basanée.

Basanée ! Venant de quelqu'un d'autre, le qualificatif pourrait paraître méprisant. Mais « basanée », dans la bouche d'Angeline, sonne comme « petit cœur d'amour ». C'est l'un des grands mystères qui entourent notre attachement aux « atypiques ».

— Des années ? s'étonne Clarence. Comment ça ? Je ne comprends pas.

— Je vieillis, j'en manque.
Alors je m'en tricote.

Je remarque à cet instant que les broches qu'elle utilise sont excessivement pointues et qu'elles n'ont pas la même taille. Avec la plus petite des deux, la femme désigne une grande horloge appuyée au mur voisin. Un machin au balancier mort, inutile.

— J'ai rêvé l'autre nuit que, si je me servais des aiguilles d'horloge comme broches, je pourrais me tricoter du temps.

Clarence me regarde pour vérifier si j'ai entendu comme elle. Eh oui. C'est la logique des « atypiques ». Autant ça nous paraît adorable et poétique, autant à d'autres ce genre d'idée peut sembler folle, voire dangereuse.

Yacine et Marc-André, qui viennent de nous rejoindre, rigolent un peu, mais c'est sans malice. Juste avant d'enfourner une pleine poignée de maïs soufflé, Yacine déclare au docteur Astregham :

— Les gens, en général, ont peur des patients du centre à cause de leur différence. Ma propre mère a encore des réticences quand elle les voit s'énerver sur les bancs pendant les parties.

— Mais nous, nous savons que c'est sans raison, car nous les connaissons bien, dit Marc-André.

— C'est pourquoi c'est important pour eux de continuer à vous fréquenter, approuve le docteur. Et aussi d'effectuer des sorties au milieu de la population en général. Pour que tout le monde s'habitue à leur comportement atypique.

— Ils sont terriblement contents d'avoir trouvé des amis comme vous, mentionne un infirmier en déposant un plat de croustilles sur la table. Et ils se sont attachés à vous. Sans compter que vous avez même accepté Romain dans votre équipe.

— *Shclipen!* s'exclame M. Bolorsk. Je ne l'ai pas choisi parce qu'il est atypique, je l'ai sélectionné parce qu'il joue sacrément bien.

Et, à cet instant, Romain apparaît justement dans la grande entrée de la salle. Celui-ci a troqué son uniforme de joueur pour ses vêtements habituels : chemise blanc cassé avec des bretelles de couleur, large pantalon évasé, et il est pieds nus.

— Salut, Romain ! dis-je le premier.

— Salut, Romain, font Clarence et Pacifique en écho.

— *Vous arrivez juste à temps,* réplique notre ami, le nez sur sa montre cassée. *Il est 7 h 22.*

Au moment où il va pénétrer dans la salle, ses copensionnaires le soulèvent pour le porter en triomphe. Même Angeline délaisse son tricot pour se jeter dans la mêlée.

Gargantua, toujours colossal, assoit Romain sur ses épaules pendant que Noëlla lui tient un pied, et Jalbert, l'autre. Amédée le saisit au bas de son pantalon à droite, Angeline à gauche, et les « atypiques » qui suivent s'accrochent où ils peuvent, certains à la hauteur des jambes ou des fesses – ce qui provoque des rires.

— Romain! Romain! Romain!

— **VIVE ROMAIN!**

— Vive Les Atypiques!

Quand il arrive près de nous, Gargantua dépose notre ami dans les bras d'Amédée qui le passe à Jalbert, qui le passe à Noëlla, qui le passe à Angeline… qui tombe par terre avec Romain en rigolant. Le géant me donne une tape dans les mains, Amédée fait un gros bisou sonore à Clarence, et les autres s'élancent vers les friandises qui meublent les tables.

— Vous pouvez commencer! annonce le docteur Astregham alors que le groupe est déjà en train de s'empiffrer.

Ce n'est pas long que la pagaille s'installe.

— **Passe-moi le plat de croustilles, nom d'une pipe au beurre d'arachide!** réclame Amédée à Jalbert.

— **NON, MOI D'ABORD!** grognonne Noëlla. **JE ME SERS, JE TE LE PASSE, TU TE**

SERS, TU LE REPASSES. C'EST COMME UN FER À REPASSER, MAIS AVEC UN PLAT DE CROUSTILLES.

— Iago! s'exclame Jalbert. Regarde le gâteau au chocolat en forme de ballon de soccer! C'est vraiment chouette, non? Dis, à la prochaine partie, vous pourriez jouer avec un gâteau au chocolat?

— Non, Jalbert, répond Romain à ma place. C'est impossible. Sinon ça attire les fourmis sur le terrain. Pas vrai, Iago? Pas vrai, Clarence?

— Euh… entre autres, oui, les fourmis, réplique mon amie haïtienne en me jetant un sourire complice. C'est toujours compliqué de jouer au soccer avec un gâteau au chocolat.

— Vive le gâteau chocolat! s'écrie une grande fille dont je ne connais pas le nom.

— Vive l'arbitre! laisse échapper quelqu'un à côté d'elle.

— Répète ça et je t'envoie mon gâteau à la figure! le menace Angeline.

CHAPITRE 11

Pendant que la fête se poursuit

Pendant que la fête se poursuit et que mes coéquipiers chahutent en compagnie de nos amis atypiques, le docteur Astregham et M. Bolorsk discutent à mi-voix dans un angle isolé de la salle. Je me retrouve près d'eux par hasard, car je cherche un plat de raisins que j'ai aperçu plus tôt. Je m'apprête à revenir sur mes pas lorsque j'entends la voix du docteur Astregham dire :

— Fie-toi à moi, je m'y connais. Ton joueur, il est devenu catatonique ! Son absence de réaction subite et temporaire, c'est comme s'il était hypnotisé.

— Comment cela est-il possible ? demande M. Bolorsk.

Le docteur fait une moue avant de répliquer :

— Il peut avoir réagi à un stimulus externe ou simplement avoir été impressionné par…

Il s'interrompt, car il s'aperçoit que j'écoute. Du coin de la bouche, il dit quelque chose à M. Bolorsk dans sa langue natale – je suppose que c'est « Oups ! Je ne m'étais pas rendu compte que je parlais en français » –, puis il me renvoie un sourire forcé.

Je me place face à eux et je déclare :

— Ne vous en faites pas. Moi aussi, j'ai noté que Pacifique avait presque paralysé pendant la partie. Il est impressionné parce que, ce matin, une poupée a été pendue devant chez lui, une autre devant chez moi, sans compter que quelqu'un a vandalisé la clôture chez Clarence en y dessinant un monstre et en y collant des plumes.

— *Crapountch !* Tu crois que c'est à cause de cette histoire ? s'étonne M. Bolorsk.

Je m'assure que personne ne nous écoute et je raconte que, en plus, la femme au parapluie rose fixait Pacifique avec vraiment beaucoup d'insistance. Je termine en demandant au docteur Astregham :

— Et puisque cette dame était assise à l'extrémité du banc de vos patients, vous ne la connaissez pas ?

— Non, bien sûr. Je l'ai remarquée, forcément, à cause de son allure particulière, mais je ne l'avais jamais croisée auparavant, *broviniotch bas vlapitcheniut* !

— Et pensez-vous comme moi qu'elle a quelque chose à voir avec la réaction de Pacifique ?

— Eh bien, si ce garçon est convaincu qu'il s'agit d'une sorcière possédant un pouvoir sur lui, oui, il va paralyser. Mais en tant que psychiatre, je te le dis, le seul qui détient une vraie maîtrise sur la psyché de Pacifique, c'est Pacifique lui-même.

M. Bolorsk suppose :

— Peut-être que quelqu'un du club de Sainte-Fabienne a voulu vous impressionner ce matin. Ensuite, il a voulu vous déconcentrer pendant la partie. Si les deux événements sont liés, bien sûr.

— Dans le cas contraire, ce serait une curieuse coïncidence, fait remarquer le docteur Astregham. Et par hasard, on choisirait les deux joueurs de l'équipe qui sont noirs, donc qui possèdent les références culturelles aux maléfices et au mauvais œil.

Je lève un index :

— Et moi ? Je ne suis pas noir. Mes parents sont d'origine mexicaine.

— C'est évident que tu n'es pas noir, *shclipen* ! Toutefois, tu es cocapitaine du club, et ça peut être dans le but de faire pression sur Clarence, l'Haïtienne.

Je retiens un petit rire en disant :

— Dans ce cas, c'est raté. Parce que Clarence est pas mal plus difficile que ça à impressionner.

— Cette fille est un sacré numéro, admet M. Bolorsk en hochant la tête.

Noëlla s'approche pour prendre un nouveau sac de croustilles dans une boîte par terre près du fauteuil du docteur.

— **EXCUSEZ-MOI, EXCUSEZ-MOI**, débite-t-elle en grognonnant un peu. **ON MANQUE DE GRIGNOTINES, LÀ-BAS, ET AMÉDÉE MENACE D'ENVOYER TOUT LE MONDE AU TROU À PERPETTE.**

— Graves conséquences ! émet simplement le chef de la clinique.

— **C'EST POURQUOI FAUT PAS TRAÎNER**, riposte Noëlla. **EXCUSEZ-MOI, EXCUSEZ-MOI…**

M. Bolorsk attend qu'elle s'éloigne, puis reprend :

— Bon. Nous n'avons pas perdu la partie, et toute l'équipe a bien réagi à la paralysie soudaine de Pacifique. C'est un point positif qui démontre que nous pouvons nous ajuster rapidement à une situation imprévue. Nous jouons de nouveau à domicile dans deux jours, nous verrons alors comment se comporte notre défenseur gauche. S'il lui arrive une fois de plus de mettre l'équipe en danger sans raison…

M. Bolorsk me fixe intensément dans les yeux, car il sait que Pacifique est mon meilleur ami. Il conclut :

— … il me faudra malheureusement utiliser l'un de mes joueurs substituts pour le remplacer. Et je le laisserai sur le banc pour le reste de la saison.

CHAPITRE 12

Le retour des pendus

Deux jours plus tard, nous recevons les Papinos de Sainte-Aldegonde. Il s'agit d'une équipe qui s'est rendue en quart de finale de l'ASoCo, l'an dernier. Le gardien de but est aussi grand et maigre que ses poteaux. L'hiver, c'est le meilleur joueur dans la ligue de basketball. En tout cas, avec ses longs bras, il peut couvrir large. Je présume que Clarence et Romain auront fort à faire pour trouver des angles libres pour buter.

Plusieurs coureurs sur le terrain ont également de grandes jambes, mais, selon ce que M. Bolorsk nous a appris lors de notre pratique de la veille, s'ils se déplacent vite, ils ont la réputation de ne pas botter avec beaucoup de précision. On dit que leur avant-centre n'a pas une bonne vision du jeu.

Le matin de la rencontre, je me réveille dès que le soleil se lève. Mon premier réflexe est d'aller voir par la fenêtre pour m'assurer que des plaisantins n'ont pas pendu de poupées aux arbres. Je suis content – et soulagé – de ne rien trouver.

Soit les provocations de la dernière fois sont dues au hasard, soit ce sont des partisans de Sainte-Fabienne qui se moquent bien que nous gagnions contre Sainte-Aldegonde. Ou alors les méchants farceurs ont jugé leur mise en scène inutile vu que nous avons triomphé malgré tout… et que ni Clarence ni moi n'avons été influencés par leurs tentatives d'intimidation.

Mais ma joie est de courte durée.

À peine ai-je mis le nez dehors après le déjeuner que je vois arriver Pacifique tout essoufflé.

— Vous avez déjà décroché l'ours ? demande-t-il sans même me dire bonjour.

Je réponds au moment où mon père ouvre la porte de la maison.

— Quel ours ?

— Pendu dans l'arbre devant chez moi, ce matin, il y avait un toutou à moitié décapité et éventré. On voyait la mousse surgir du cou et du ventre.

— Encore ? s'exclame papa, moins amusé qu'intrigué.

— Et de nouveau une journée où nous disputons un match ! s'énerve Pacifique. Quelqu'un a demandé à une sorcière de nous jeter le mauvais œil.

Je m'empresse de répliquer :

— Et preuve que ça ne fonctionne pas, la dernière fois, nous avons gagné quand même. Alors continue de bien jouer, et les plaisantins cesseront de vider leur grenier et d'abîmer les clôtures dans le but de nous intimider.

Mon père lève sa tasse de café dans ma direction pour approuver ce que je viens de dire.

— Et Clarence ? demande Pacifique.

— Je ne l'ai pas encore vue. On doit se retrouver au terrain de soccer.

— Eh bien, courons-y.

Cette fois, je suis d'accord avec mon copain.

— À plus tard, papa !

— Bonne chance, fiston ! Désolé de ne pas pouvoir être là aujourd'hui !

Dès qu'on rejoint nos camarades, la première chose que je note est l'attitude surexcitée de plusieurs d'entre eux. Marc-André m'apostrophe à mon arrivée.

— Tu ne nous avais pas dit que, à la dernière partie, on vous avait jeté un sort ! me reproche-t-il.

Je riposte :

— N'exagérons rien. On a cherché à nous impressionner, Clarence, Pacifique et moi, mais ça n'a pas fonctionné. On a gagné, vous vous rappelez ? Bon. Qui vous a informés ?

— C'est moi, réplique Clarence avec une expression à moitié navrée. C'est parce que Marc-André, Yacine, Kim et Saad ont retrouvé des poupées, des toutous et des animaux en plastique pendus devant leur maison, ce matin – le tout recouvert de ketchup, évidemment. Alors, pour les convaincre qu'il s'agit seulement d'intimidation et non de magie, je leur ai expliqué qu'on a tenté la même chose avec nous, il y a deux jours, et que ça n'a pas fonctionné. C'est pourquoi, aujourd'hui, personne n'a jugé utile de vandaliser notre clôture. Et toi, Iago ?

— Chez nous non plus.

— Eh bien, voilà ! Les plaisantins savent que ça ne marche pas.

— Oh oui ! Ça a marché avec Pacifique ! corrige Saad.

Eh zut ! Voilà bien le genre d'affirmation que j'espérais éviter. Je m'empresse donc de répliquer :

— Pas du tout ! Pacifique s'est laissé distraire parce qu'une personne dans l'assistance lui rappelait quelqu'un. Il…

— Mais non, Iago, me contredit mon gros copain qui n'a rien compris. C'est une sorcière africaine ! Soit elle a constaté que le mauvais œil jeté par les poupées ne fonctionnait pas, soit le rituel qu'elle a effectué avant la partie a complété son sortilège.

— Quel rituel ? Quelle sorcière ? demande Yacine.

— La femme qui portait un parapluie rose, répond Pacifique. Vous avez dû la remarquer ? Elle avait un coq mort dans son sac. Je l'ai bien vu. Elle a dû le sacrifier près de la ligne de touche juste avant notre arrivée !

— Quoi ? s'exclament Saad, Kim et Marc-André à la même seconde.

Je m'exclame :

— Mais non ! Personne ne l'a vue sacrifier un coq le long de…

— Mais alors… une sorcière, un sacrifice… Ça veut dire que…, balbutie Yacine en m'interrompant.

— Ça veut dire que c'est sur nous que le mauvais œil a été jeté cette fois ! comprend Saad.

CHAPITRE 13

Le mauvais œil et le père Noël

— Allons donc ! rétorque très rapidement Clarence avant même que je réagisse. Je suis haïtienne, j'entends parler de vaudou depuis que je suis toute petite, et pourtant les gestes contre nous n'ont eu aucun effet sur moi. Ni sur Iago. C'est parce que Pacifique est un garçon impressionnable qu'il s'est laissé avoir.

— Je ne suis pas impressionn…, dit Pacifique.

— Ah, si, tu l'es ! le coupe Dzevad. On ne peut pas dire que tu as super bien joué, la dernière fois.

— Ma mère affirme que, au Congo, il est fréquent que les sorciers…

— *Shclipen*! Qu'est-ce qui se passe ici ?

Dans le feu de la discussion, nous n'avons pas entendu M. Bolorsk arriver. Nous le mettons rapidement au courant des nouvelles.

Notre entraîneur nous écoute lui expliquer les peurs des uns, le scepticisme de Clarence, de Dzevad et le mien, puis, quand chacun se calme, il pousse un gros soupir. Il déclare :

— Il est évident que le fait de retrouver des vieilles poupées et des toutous « sacrifiés » devant la maison de certains d'entre vous, le matin des journées où nous disputons une partie, ce n'est pas le fruit du hasard, *crapountch* ! Quelqu'un cherche à nous intimider. Pourquoi une seule fois chez Iago et chez Clarence, et deux fois au domicile de Pacifique ? Parce qu'on a compris que celui-ci est plus facilement impressionnable.

— Ah ! Qu'est-ce qu'on te disait ? s'exclame Dzevad.

Notre copain congolais va se récrier, mais M. Bolorsk lève un index pour le faire taire. Il reprend :

— Ne proteste pas, nous l'avons tous constaté lors du match contre les Carcajous dorés. Tu as perdu ta concentration et cela a failli nous coûter la victoire, *troshkap* ! Par conséquent, ceux qui se laissent impressionner par les mises en scène de notre ennemi inconnu jouent son jeu.

— Mais peut-être que Clarence et Iago sont protégés contre le mauvais œil et pas nous ? suppose Yacine.

— Pourquoi dis-tu cela ? gronde M. Bolorsk en le regardant fixement. Tu es donc tellement naïf, toi aussi, que tu crois en la magie ? Tu es pâle, pour un gars qui vient d'Afrique noire !

Les parents de Yacine sont nés au Maroc. Le pauvre garçon est en train de fondre littéralement sous le regard sévère de M. Bolorsk. Il balbutie :

— Euh… dans le Maghreb, parfois, on entend des histoires de… de…

Saad, originaire du pays voisin, l'Algérie, vient à son aide.

— C'est vrai. Dans le Maghreb, des fois…

— Des fois quoi ? *Shclipen* ! Jusqu'à quel âge tu as cru au père Noël, toi ?

— Jamais... euh... mes parents ne m'ont jamais...

— Et ils te font ajouter foi à la sorcellerie, tes parents, *troshkap* ?

— N... non.

— Alors ? Qui sera assez bête pour laisser à des vandales le choix de décider quelle équipe deviendra championne de soccer ?

M. Bolorsk nous balaie d'un regard où s'expriment à la fois la sévérité et l'indulgence. Tout à coup, il demande :

— Savez-vous ce qu'est la superstition du pigeon ?

Nous nous dévisageons, les yeux ronds, les lèvres tirées vers le bas pour traduire notre ignorance. M. Bolorsk explique :

— Dans les années 1940, des scientifiques faisaient des expériences avec des pigeons en cage. Ils ont installé un mécanisme à ressorts et, chaque fois qu'un de ces oiseaux appuyait sur un bouton avec le bec, le système se déclenchait. Un panneau s'ouvrait, et le volatile avait accès aux graines qui tenaient lieu de récompense.

Il nous observe de nouveau l'un après l'autre pour s'assurer que tout le monde comprend. Satisfait, il reprend :

— Et un jour, grâce à ces oiseaux, les scientifiques ont découvert quelque chose qui pouvait nous éclairer sur l'un des plus étranges comportements humains.

CHAPITRE 14

La superstition du pigeon

— Un jour, au lieu d'un mécanisme actionné par le bec des oiseaux, les scientifiques ont placé dans la cage une minuterie. C'est elle qui déclenchait le panneau des récompenses. À intervalles réguliers, disons, je ne sais pas, moi, dix secondes par exemple, la petite porte s'ouvrait, et le volatile accédait aux graines pendant un instant. Puis le pigeon devait attendre que le panneau se relève de nouveau. Il avait beau tapoter les cloisons de la cage avec son bec, ou sautiller, ou faire n'importe quoi, la porte ne donnait accès au contenant de nourriture qu'après dix secondes, pas avant.

L'histoire de M. Bolorsk nous fascine au point que plus personne n'émet le moindre son. J'ai même l'impression que personne ne respire. Notre entraîneur poursuit :

— Or, les pigeons ne comprennent pas la notion de temps. Ils ne peuvent saisir qu'il faut patienter un nombre de secondes déterminé pour voir une petite porte s'ouvrir. C'est pourquoi un pigeon se demande : « Qu'est-ce que j'ai fait juste avant que le panneau se déclenche ? Qu'est-ce qui m'a permis de l'obliger à s'activer ? Je crois que je battais des ailes. C'est ça ! Je battais des ailes et c'est pour ça que j'ai eu accès aux graines ! » Après, le pigeon se met à battre des ailes, persuadé que c'est grâce à cet artifice qu'il parvient à obtenir sa récompense. Pourtant, le mécanisme, lui, poursuit sa routine, et la nourriture n'est à portée de bec qu'un court instant, toutes les dix secondes exactement.

Le silence retombe pendant que M. Bolorsk, une fois de plus, s'assure que chacun de nous comprend ses explications. C'est finalement Kim qui ricane à mi-voix :

— Qu'il est con, ce pigeon, quand même !

— Cervelle d'oiseau, approuve Saad en rigolant aussi.

— Voilà pourquoi on appelle cette expérience « la superstition du pigeon », annonce M. Bolorsk. Parce qu'un simple hasard, une suite de circonstances, fait en sorte que le volatile soit persuadé que, chaque fois qu'il bat des ailes, il oblige la petite porte à s'ouvrir. Donc, si vous pensez que le résultat d'un match de soccer dépend de quelqu'un qui, ce matin-là, a placé un ours en peluche devant votre maison…

M. Bolorsk fixe encore plus intensément Kim et Saad avant de conclure :

— C'est que vous êtes aussi stupides qu'un pigeon !

Les deux garçons cessent de rigoler sur-le-champ, et M. Bolorsk se détourne. Il s'éloigne en silence pour aller s'asseoir à distance sur le banc des joueurs.

— J'espère que vous saisissez bien le message que notre entraîneur vient de nous transmettre, grogne Clarence en ne manquant pas d'inclure dans ses regards sévères non seulement Saad et Kim, mais également Yacine, Pacifique et Marc-André. Les superstitions proviennent des hasards de la vie ou de choses que nous ne comprenons pas. Alors cessez de dramatiser parce que des imbéciles se débarrassent de leurs vieux jouets et concentrez-vous sur ce que vous savez vraiment bien faire : jouer au soccer !

Chacun y va d'un petit hochement de tête que je ne trouve pas tout à fait convaincu. Je suis d'ailleurs le premier à me demander si la médaille de *Nuestra Señora de la Guadalupe* que je touche à travers le tissu de ma culotte est réellement une bénédiction… ou simplement une superstition de pigeon.

Toutefois, je m'efforce d'oublier tout ça rapidement afin de jouer mon rôle de cocapitaine et, me joignant à Clarence pour stimuler mes coéquipiers, je lance :

— Allez, les gars ! La partie débute dans moins d'une heure. On enfile nos uniformes et on s'échauffe tout en revoyant nos stratégies de jeu.

— Ouaip ! approuve Dzevad. Clarence et Iago ont raison ! Et n'oubliez pas Romain, que bien des gens considèrent comme un idiot, qui ne se laisse pas influencer non plus par de simples coïncidences. Qu'importe les plaisantins ou les sorcières africaines, il joue toujours au sommet de son talent. Alors suivez son exemple !

Si mes compagnons reprennent un peu de tonus, leurs mines ne retrouvent pas tout à fait l'enthousiasme qu'elles devraient avoir.

Surtout quand, parmi les premiers spectateurs qui s'installent sur les bancs, nous voyons arriver la femme africaine avec son sac en paille tressée et son parapluie rose.

CHAPITRE 15

La terrible partie

Oui, le gardien des Papinos est très bon et parvient à frustrer Clarence, Romain et Dzevad à plusieurs reprises. Oui, leurs joueurs avant sont très rapides, mais il est vrai aussi que leurs passes ne sont pas très précises.

Alors c'est vraiment enrageant, à la fin de la première demie, de tirer de l'arrière par trois buts à zéro.

— Tu as super bien joué, Iago, ne t'en fais pas, m'encourage Clarence au moment de la pause.

Elle craint que les buts que j'ai dû consentir minent mon moral de gardien. Mais j'ai compris que je ne suis l'unique responsable d'aucun. Chaque fois, les points adverses ont été marqués parce que je n'ai pas reçu d'appui de la part de ma défensive. Pacifique et Saad ont été aussi mauvais à leur position que Marc-André, Kim et Yacine en milieu de terrain. Seuls Dzevad, Romain et Clarence sont parvenus à jouer de manière concentrée.

— Mais il se passe quoi, là, *shclipen*? se plaint M. Bolorsk auprès des gars qui affichent des mines penaudes. Le premier qui me dit que c'est à cause de la sorcellerie, je lui mets une baffe.

Bien sûr, chacun de nous sait qu'il ne ferait jamais ça, et c'est pourquoi Yacine répond :

— C'est à cause du mauvais œil.

— *Crapountch! Broviniotch bas vlapit-cheniut!* laisse échapper M. Bolorsk dans un bel échantillon de jurons de sa langue natale et en balançant sa bouteille d'eau en plastique sur la pelouse. Le seul mauvais œil que je prévois est celui que vous aurez si je me fâche vraiment.

Et là encore, nous savons tous qu'il ne lèvera pas le petit doigt contre un seul d'entre nous. Aussi Pacifique désigne-t-il du menton la femme noire avec son parapluie rose en guise de parasol et déclare :

— La sorcière n'arrête pas de me fixer et ça m'empêche de bouger.

— Moi aussi, l'appuie Yacine. Elle dévisage Pacifique et ça me paralyse en même temps.

— Pareil pour moi, s'enhardissent Saad, Kim et Marc-André.

M. Bolorsk se redresse en plaçant les mains sur ses hanches. Il s'exclame dans un soupir :

— Vous êtes tous aussi cons que des pigeons !

Il pivote à demi pour jeter un coup d'œil en direction des spectateurs. Nous suivons tous son regard. Personnellement, j'aperçois d'abord nos amis du centre de soins pour déficience intellectuelle qui chahutent comme à l'accoutumée. Ensuite, sur l'autre série de bancs, il y a les parents de nos joueurs : ceux de Saad et de Marc-André, la – jolie – maman de Dzevad, les mères de Clarence et Pacifique qui s'entendent comme deux sœurs et sont assises ensemble… Plus loin, ce sont les adultes de Sainte-Aldegonde qui accompagnent leurs gamins et se réjouissent, bien sûr, du score actuel.

Il y a aussi plusieurs personnes venues simplement par curiosité : je reconnais le boucher, par exemple, qui n'a pas d'enfants, et le maître de poste. Il y a également les deux gars que j'avais remarqués lors du match précédent, avec leurs capuchons rabattus sur leurs têtes. Mais, surtout, il y a cette fameuse Africaine !

Aujourd'hui, elle s'est un peu éloignée des « atypiques » – je présume qu'elle les a trouvés trop remuants la dernière fois – pour observer la partie d'un autre banc. Elle est toujours vêtue de la même robe colorée et coiffée du même serre-tête. Elle maintient encore sur ses cuisses le sac de paille tressée tout en se protégeant du soleil avec le parapluie rose.

— *Crapountch* ! Nous allons bien voir ! s'exclame tout à coup M. Bolorsk en s'élançant vers les bancs des spectateurs.

CHAPITRE 16

La petite note qui se passe de main en main

M. Bolorsk passe à travers le terrain en direction de la série de bancs où se trouve la femme africaine. Je vois l'arbitre, un certain M. Lambert, venu de Grosse-Pierre, lui faire de grands signes. Il crie :

— Holà ! Vous n'avez pas le droit ! L'entraîneur ne doit pas traverser la ligne de touche tant que le match n'est pas terminé !

— Je vais… *shclipen* ! J'ai affaire à quelqu'un dans l'assistance ! se défend M. Bolorsk en se tournant vers l'arbitre, les bras de chaque côté de lui.

— Vous irez après la partie ! Pas maintenant ! Interdit !

Et notre entraîneur rebrousse chemin en marmonnant le chapelet de jurons qui rendent sa langue inconnue particulièrement colorée. Il s'assoit sur son banc en tirant un stylo de sa poche de poitrine et en déchirant un bout de ses feuilles de notes. Rapidement, il griffonne quelques mots.

— Iago ! Viens là, garçon !

Je délaisse les copains pour courir vers lui. Il me tend le papier.

— En retournant à ton but après la fin de la pause, fais en sorte que ce billet parvienne à Groëm. Mais prends garde d'aller trop loin ou de laisser un « atypique » s'approcher trop près. Manquerait plus que tu récoltes un carton rouge, *shclipen* !

— Ne vous inquiétez pas.

Et, quand l'arbitre siffle la reprise du jeu, je fais un signe discret à Amédée avec le carré de papier. L'« atypique » chuchote à l'oreille de Jalbert, qui chuchote à Noëlla, qui chuchote à Angeline, qui chuchote à

Gargantua. Ce dernier feint de tomber en bas du banc – ce qui est tout de même impressionnant vu son gabarit – et il roule sur la pelouse jusqu'à la ligne de touche.

M. Lambert, estomaqué, ne voit pas de mal à ce que je vienne en aide au colosse. Je lui prête donc assistance… sans manquer de glisser entre ses doigts le message que m'a remis M. Bolorsk.

Je murmure :

— Pour le docteur.

Gargantua referme sa grosse main sur le bout de papier, se relève, salue l'arbitre en guise d'excuse, puis retourne vers son banc où il passe le mot à Angeline, qui le passe à Noëlla, qui le passe à Jalbert, qui le passe à Amédée, qui le passe au docteur Astregham.

Ni vu ni connu.

La partie reprend et, il faut l'avouer, les gars jouent un peu mieux. Un peu. La défensive est plus assurée et je n'ai à répondre qu'à cinq tirs, dont deux vraiment dangereux. Cependant, les trois points de retard représentent un défi trop difficile à relever pour nos joueurs avant. Surtout que l'entraîneur des Papinos, dans une stratégie de bon aloi, place ses demis de terrain en mode défensif. La porte vers le filet adverse est solidement fermée, et c'est de peine et de misère que Dzevad et Clarence parviennent à marquer chacun un but.

Le match se termine sur une défaite de deux à trois, et c'est la mine bien basse que nous accusons le coup de sifflet mettant fin à la partie.

Clarence, encore essoufflée de sa dernière montée, me jette un regard ravagé. Elle incline ensuite la tête, appuie les mains sur ses genoux et contemple le sol. Machinalement, je tourne les yeux vers nos parents qui applaudissent nos efforts, mais je vois bien dans leurs sourires un peu forcés qu'ils sont également déçus.

Du côté de nos amis atypiques du centre de soins du Jardin des érables, ceux-ci devraient continuer à chahuter et à crier des « *Vive Clarence!* » et « VIVE ROMAIN ! », car pour eux, en général, gagner ou perdre une partie ne modifie pas leur humeur. Même les « Mort à l'arbitre ! » d'Angeline ne changent guère, que les décisions de l'officiel soient ou non en faveur de notre équipe.

Mais là, je suis étonné. Au lieu de la cohue habituelle qui les caractérise quand ils retournent à la résidence, les copensionnaires de Romain affichent des mines graves. Guidés par le docteur Astregham et soumis à une cohésion qui ne leur ressemble pas, Amédée, Jalbert, Noëlla, Angeline, Gargantua et compagnie se dirigent à la queue leu leu vers les bancs voisins.

En fait, ils convergent en direction du siège où la femme mystérieuse a assisté au match. Cette dernière vient de refermer son parapluie rose et s'apprête à s'éloigner du terrain de soccer. Elle se rend compte soudain qu'elle est entourée d'une bande d'étranges individus qui la dévisagent avec intérêt.

Elle remarque surtout qu'elle n'a plus le moindre espace pour sortir.

CHAPITRE 17

L'interrogatoire
de la sorcière africaine

Craignant une dispute, je m'empresse de faire signe à Clarence et, tous deux, nous nous précipitons vers l'attroupement. Du coin de l'œil, je note que Romain arrive, suivi de M. Bolorsk.

Lorsque, en compagnie de mon amie haïtienne, je parviens au milieu du groupe d'« atypiques », j'entends pour la première fois la voix de la femme africaine.

— Mais enfin, vous voyez bien que vous me bloquez le passage ! Faites-moi de la place.

Elle possède une intonation grave. Si elle démontre un peu d'irritation, elle n'exprime pas la moindre inquiétude.

— **Police!** s'exclame Amédée en sortant le gros sifflet qu'il traîne toujours dans ses poches et en redressant sur son crâne la casquette en plastique qui a tendance à glisser. **Mains sur la tête! Vous êtes en état de perpette**.

Je me faufile de manière à arriver à la hauteur de la femme au moment où cette dernière réplique à Amédée :

— Qui êtes-vous ? demande-t-elle, les sourcils froncés.

— **Je suis représentant de la loi...**

— Excusez-nous, madame, coupe le docteur Astregham en plaquant une main sur la poitrine d'Amédée pour le faire reculer. Nous aimerions vous poser quelques questions.

— **OUAIS !** approuve Noëlla en se plaçant face à la femme, les bras croisés – et en grognonnant, bien sûr.

Le docteur Astregham repousse donc aussi Noëlla, ce qui permet à Angeline de s'avancer à son tour.

— Alors, ma jolie? On maléficie des sortilèges pour mauvaisœiller nos joueurs basanés?

Comment Angeline est-elle au courant? Romain, bien sûr. Il a dû en glisser un mot à ses copensionnaires, comme ça, au hasard d'une conversation.

— Qu'est-ce que c'est que ce cirque? s'étonne l'inconnue en jetant un regard circulaire sur les « atypiques ». Est-ce que quelqu'un de sensé pourrait m'expliquer… Toi, par exemple! Que se passe-t-il?

Et je suis surpris de constater que le doigt noir et un peu croche de la femme est tendu vers mon visage.

— M… moi?

— Oui, toi! Que me veulent tes… amis?

Je balbutie, car je ne m'attendais pas à être interpellé.

— Nous… euh… nous aimerions que vous nous expliquiez pourquoi vous… euh…

— **OUAIS ! POURQUOI ?** répète Noëlla.

— … pourquoi vous assistez à nos matchs même si vous ne semblez pas, disons, euh… avoir d'enfant ou de petit-enfant qui joue… euh…

— Et alors ? m'interrompt l'inconnue. C'est interdit d'être présent aux parties de soccer si on n'a pas de membre de notre famille qui y participent ?

— Ce n'est pas la vraie question, madame, *crapountch* ! s'interpose M. Bolorsk qui vient de se frayer un chemin à travers la bande d'« atypiques ».

Le docteur Astregham, qui s'apprêtait à intervenir à la même seconde, laisse notre entraîneur poursuivre l'interrogatoire. Le directeur de la clinique se contente de maintenir l'ordre parmi ses patients. Moi, à un demi-pas de M. Bolorsk, je suis entouré de Clarence et de Romain.

— La vraie question, madame, reprend M. Bolorsk, est…

— *Êtes-vous une sorcière?*
complète Amédée.

— Amédée, tais-toi ! ordonne le docteur Astregham.

— *Que faisiez-vous, ce matin, à* *7 h 22 ?* intervient Romain.

— Romain, tais-toi !

— *Avez-vous pendu des poupées décapitées et des toutous égorgés pour les faire mourir ?* s'informe Jalbert.

— Jalbert, tais-toi !

— *Avez-vous crié : « Vive l'arbitre »?* s'intéresse plutôt Angeline.

M. Bolorsk se tourne vers les « atypiques » et dit :

— Si tout le monde parle, on ne s'en sortira pas, *shclipen* ! Merci d'avoir demandé à cette dame de patienter. Maintenant, reculez un peu qu'on se comprenne, *troshkap* !

Après quelques grognements de déception, le groupe est maintenu à distance par le docteur Astregham et ses infirmiers. Seuls nos joueurs sont invités à se rassembler auprès de l'inconnue.

Cette dernière, sans exprimer d'agacement, attend que nous soyons prêts à l'interroger de nouveau. Et même, je crois qu'elle est aussi désireuse que nous de voir où mènera cette curieuse interrogation.

L'unique détail étrange que je note dans son comportement est cet intérêt incontestable qu'elle démontre pour Pacifique, qu'elle n'arrête pas de regarder avec intensité.

CHAPITRE 18

Les explications

M. Bolorsk commence par expliquer à la femme les soupçons qui pèsent sur elle à cause des poupées, des toutous et des dessins emplumés qu'on a retrouvés devant nos maisons les matins des matchs. Il ne lui cache aucun détail, surtout pas la peur qu'elle inspire à nos joueurs et le fait qu'on lui attribue notre défaite de la journée.

Moi, j'en profite pour la dévisager. Elle écoute M. Bolorsk sans le fixer directement. Elle préfère plutôt nous observer un à un – Pacifique un peu plus intensément, mais quand même, aucun n'échappe à son attention. Elle a de grands yeux noirs, cerclés de rides que rejoignent les scarifications rituelles que j'ai déjà mentionnées. Ça la fait paraître plus vieille que son âge véritable, j'en suis certain.

Son serre-tête lui donne un air de majesté qui sied très bien à son expression à la fois sévère et indulgente. On dirait que c'est elle qui nous incrimine et non l'inverse. De près, comme ça, je peux mieux détailler les grigris à son cou. Il s'agit, je crois, de rondelles de bois et de petites pierres polies parmi lesquelles s'intercalent des plumules. Le tout est disposé en chapelet sur une cordelette.

Quand M. Bolorsk a fini de parler, la femme nous observe encore un moment, passe un doigt rapide sur ses lèvres pour assécher une éventuelle accumulation de salive, puis, d'une voix profonde et contrôlée, dit :

— Eh bien, tout d'abord, si j'ai causé de l'émoi parmi vous, et même si c'était sans le savoir, je m'en excuse. Surtout toi, mon gros garçon, précise-t-elle en tendant l'index vers Pacifique. Je vais vous expliquer pourquoi. Je m'appelle Gracienne et je viens de Gao, au Mali. Lors de la dernière guerre avec les radicaux religieux, toute ma famille a été décimée. Je suis seule au monde.

— Navrée pour vous, madame, se désole Clarence.

— Merci, petite. J'ai quitté mon pays, car j'ai profité du fait que des organisations humanitaires offraient à des personnes comme moi de refaire leur vie ailleurs. Je suis venue m'établir au Canada en choisissant Rivière-aux-Moustiques. Pourquoi ? Parce qu'il y a dans votre village des gens originaires de partout dans le monde, avec des cultures et des religions différentes, et qui, malgré tout, s'entendent à merveille.

— Il y a même des francophones de souche, rigole Marc-André.

— Et des « atypiques », précise Saad en désignant Romain.

La femme sourit, puis reprend :

— Je n'ai pas encore eu le temps de me faire des amis, mais je m'y efforce. C'est pourquoi je viens assister aux manifestations sportives. Je n'aime pas nécessairement le soccer, mais il y a une belle ambiance. Et puis, il y a toi, mon gros garçon, qui me rappelles mon petit-fils, mort en Afrique. Ça me fait du bien de te regarder jouer au ballon. C'est un peu comme si j'étais avec lui.

— Donc vous ne l'avez pas hypnotisé pour le paralyser ? demande Yacine.

— Mais non !

— Mais… mais le coq que je vous ai vue sacrifier la première fois ? s'inquiète Pacifique.

— Tu m'as vue sacrifier un coq, toi ? fait la femme en ouvrant grand les yeux.

— Dans votre sac, là…

Elle éclate d'un rire énorme en renversant la tête vers l'arrière. Elle réplique :

— Mais non ! Que tu es drôle ! J'élève des poules. J'en ai douze dans le petit réduit derrière la maison que la municipalité m'a allouée. Je fais le commerce des œufs. Et quand les volatiles sont trop vieux, je les tue et les arrange moi-même avant de les vendre au boucher du village. Le matin dont tu parles, je ramenais une volaille que la femme du commerçant m'a refusée, car son mari était absent.

— Alors vous n'êtes pas une sorcière, répète Pacifique pour la millième fois avec soulagement, comme lorsque nos parents nous apprennent que l'ogre qui devait venir nous manger parce que nous n'étions pas sage est parti voir ailleurs.

— Pourquoi tout le monde pense que les vieilles femmes laides sont des sorcières ? demande-t-elle sur un ton qui n'exige pas vraiment de réponse.

N'empêche que Clarence riposte aussitôt :

— Vous n'êtes pas laide du tout ! Au contraire ! Moi, je trouve que vous êtes très jolie, madame.

— *Pour une vieille*, précise Romain en fronçant les sourcils vers Clarence.

— Et vous jurez n'avoir aucun lien avec ce qu'on a retrouvé devant nos maisons ? s'informe Yacine, toujours un brin incrédule.

— Je te dis que non, petit froussard !

— Mais alors, qui c'est qui tue les poupées et les toutous ? lance Jalbert de loin.

— Jalbert, tais-toi !

Et Gargantua se met à pleurer.

— Pourquoi on tue des poupées sans têêêêteee ? Pourquoi-oua-oua-ouaaaaa ?

Comme le docteur Astregham et les infirmiers commencent à perdre de nouveau le contrôle de leurs patients, M. Bolorsk s'empresse de déclarer à mes coéquipiers :

— Alors, maintenant, vous êtes au moins convaincus que personne ne vous paralyse pendant que vous jouez !

— Pas sûr, riposte Pacifique avec une note d'inquiétude toujours discernable dans la voix. Mme Gracienne n'est peut-être pas fautive, mais quelqu'un m'a quand même jeté un sort.

— À 7 h 22, précise Romain.

— Et à moi aussi, ajoute Saad.

— Et sans doute à moi, risque Marc-André en n'osant pas regarder M. Bolorsk directement.

— **Ben alors, il suffit d'exorciser le terrain!** lance Amédée. **Et le mauvais tour est déjoué.**

— Exorciser le…, s'étonne M. Bolorsk.

— Mort aux alchimistes! approuve Angeline – sans doute en songeant aux vandales.

M. Bolorsk, las de la discussion, se prépare à inviter le docteur Astregham à s'éloigner avec sa bande de joyeux patients quand, à la surprise de tout le monde, je m'écrie:

— C'est une excellente idée!

— Quoi? Qu'est-ce qui est une excellente idée? grogne notre entraîneur en fronçant les sourcils dans ma direction.

— Exorcisons le terrain.

CHAPITRE 19

La première partie à l'extérieur de Rivière-aux-Moustiques

Aujourd'hui, samedi, nous allons disputer un match dans la municipalité de Lac-Potache. L'équipe locale s'appelle Les Caribous. Tous nos parents seront présents.

— Iago, tu ne montes pas avec nous ? s'étonne mon père.

— Je dois me rendre sur place une demi-heure avant le début de la partie. Je voyagerai à bord de la minifourgonnette de M. Bolorsk. On a une petite rencontre préparatoire. Il y a les parents de Pacifique et de Clarence qui partent également plus tôt et qui emmènent des gars.

— Et Romain ?

— Non. Comme d'habitude, Romain arrivera avec ses copensionnaires dans les véhicules du Jardin des érables.

— C'est à cause des poupées et toutous que vous avez trouvés pendus chez Yacine et Saad ce matin que vous voulez vous rencontrer ?

— Oui. Et à cause des animaux en plastique « torturés » devant chez Marc-André et Kim. Je viens de leur parler au téléphone.

— Il n'y en avait pas chez nous, pourtant.

— Ni chez Clarence. Les jeteurs de mauvais sorts savent que ça ne nous impressionne pas.

Comme prévu, mes coéquipiers et moi – sauf Romain –, nous nous retrouvons au terrain de Lac-Potache alors que bien peu de monde est arrivé. Dans la minifourgonnette de M. Bolorsk, il y a aussi…

— Madame Gracienne ! s'étonne Pacifique en descendant de la voiture de ses parents. J'ignorais que vous deviez venir nous voir jouer à l'extérieur de Rivière-aux-Moustiques.

— Je commence à aimer pas mal le soccer, mon gros garçon, réplique-t-elle en lui pinçant une joue.

Puis elle se tourne vers la mère et le père de mon copain en disant :

— C'est fou ce que votre enfant ressemble à mon petit-fils. J'espère que ça ne vous dérange pas que je vienne assister à ses matchs.

— Mais pas du tout, réplique la maman de mon ami. Au contraire, c'est presque comme si nous profitions d'une nouvelle tante parmi nous.

Pendant que les parents de Pacifique présentent Mme Gracienne à ceux de Clarence avec qui ils sont amis, je retrouve M. Bolorsk à l'écart. Le ballon sous le bras, il regarde le centre du terrain.

Je demande :

— On s'installe dans le cercle de la mise en jeu ?

— Ouais, *shclipen*! répond-il en soupi-rant. Les gars nous entoureront.

Clarence, qui vient de nous rejoindre, s'informe :

— On le fait maintenant ?

— Vaut mieux, oui, *crapountch*! Avant qu'il y ait trop de monde ici et qu'on pro-voque une émeute.

Les parents de Saad, de Pacifique, de Clarence et de Kim sont invités à rejoin-dre les quatre ou cinq spectateurs de Lac-Potache fraîchement arrivés dans les gradins.

Tous les joueurs, nous nous regroupons autour de M. Bolorsk et de Mme Gracienne au centre du terrain.

— Puisque certains d'entre vous sont persuadés d'être victimes du mauvais œil, dit notre entraîneur, j'ai demandé un petit service à Gracienne.

La vieille Malienne, à son tour, pose le regard sur chacun de nous. Avec une voix rauque – que je sens quand même un peu fabriquée –, elle déclare :

— Ma grand-mère était sorcière à Gao et…

— Pour de vrai ?

— Pacifique, tais-toi, *crapountch* !

— Et même si j'ai toujours refusé de suivre ses traces, reprend Mme Gracienne, j'ai hérité de ses… dons.

C'est bien le scénario que nous avons monté, Clarence et moi, en compagnie de M. Bolorsk. L'Africaine poursuit :

— Cependant, étant donné que vous me paraissez soumis à l'influence néfaste d'un sortilège venu d'on ne sait qui, je veux bien faire une exception pour vous et user de mes pouvoirs.

Les gars échangent des coups d'œil où se devinent l'incrédulité, la curiosité et… une légère inquiétude. Mme Gracienne plonge une main dans le sac en paille tressée qu'elle transporte toujours et, d'une intonation encore plus dramatique, annonce :

— Ainsi, sans perdre de temps, et avant que trop de monde soit témoin de notre manège…

Elle fait une pause pour extirper un cadavre de poule qu'elle tient par le cou.

— … nous allons procéder immédiatement à l'exorcisme du mauvais sort jeté sur vous !

Cette fois, chacun a les yeux ronds. Même Clarence et moi retenons notre respiration. On a beau être au courant de la fumisterie, c'est toujours impressionnant d'être en présence d'une vraie carcasse pendouillant – et non pas d'une simple poupée ou d'un toutou.

CHAPITRE 20

L'exorcisme

M. Bolorsk nous a disposés en demi-cercle de manière à masquer aux gens qui bavardent dans les gradins les faits et gestes de Mme Gracienne. Moins les spectateurs sauront à quoi nous assistons, mieux ça vaudra. Surtout que l'Africaine tient toujours le cou de la poule au bout de son poing gauche et qu'elle brandit maintenant un grand couteau dans la main droite.

Les paupières presque fermées, ne laissant entrevoir qu'un mince reflet du blanc de ses yeux, la femme psalmodie à mi-voix des paroles étranges dans une langue que nous ne connaissons pas. Cela sonne comme :

— Grommmmvrommmmzzzzzrrrrr-grmmmmmjjjjjjjjjjjjssssssrrrmmmmmmmmm…

Peut-être récite-t-elle de vraies incantations, mais peut-être aussi turlute-t-elle simplement des mots sans aucune signification, rien que pour la mise en scène.

Au bout d'un moment, tandis que dix regards la fixent intensément, sans aucun préavis, Mme Gracienne exécute un bref mouvement du bras. La lame du couteau, bien affilée, tranche instantanément le cou du cadavre de poule.

La carcasse s'abat par terre dans un éclaboussement de plumes.

Avec un synchronisme digne d'une bande de ballerines, nous reculons d'un pas en inspirant profondément. Mme Gracienne plonge aussitôt vers le volatile – comme s'il était pour s'échapper – et le saisit par les pattes. À force de le secouer, elle finit par faire tomber un peu de sang sur la pelouse au centre du terrain de soccer.

— Si la poule avait été vivante au moment du coup de couteau, me chuchote Clarence, le sang giclerait pas mal plus que ça.

— Tu as déjà tué une poule, toi ? je demande.

— Non, mais j'ai vu faire mon grand-père en Haïti.

— Grommmmvrommmm…, répète Mme Gracienne avant de se redresser.

Elle tourne sur elle-même à trois reprises, puis, d'une poche de sa robe, tire un sac en plastique. Elle y enfouit tête, carcasse et plumes qui disparaissent avec le couteau dans son fourre-tout en paille tressée.

— Voilà ! dit-elle en ouvrant de nouveau les paupières et en retrouvant une voix normale. Ce foutu terrain est exorcisé, et plus aucun mauvais œil ne peut avoir d'effet sur vous.

Et, sans nous saluer, sans plus un regard pour nous, elle s'éloigne en direction des gradins. Nous l'observons en silence, sa robe flottant autour de ses chevilles, son sac en bandoulière, son serre-tête coloré se balançant au rythme de ses pas.

Si des spectateurs la fixent avec curiosité, ce n'est pas qu'ils ont repéré son manège dans le cercle de mise en jeu, mais parce que son allure n'est pas fréquente à Lac-Potache.

Il faut dire aussi que la femme n'a pas remarqué que sa main droite dégouline de sang de poule.

Marc-André, Kim, Yacine, Pacifique et Saad se sont laissé impressionner par les animaux en plastique devant leur résidence, et ils se font influencer tout autant par le simulacre d'exorcisme exécuté par Mme Gracienne.

Et cela transparaît si bien dans leur jeu contre les Caribous de Lac-Potache… que nous lessivons cette pauvre équipe par sept buts à zéro !

Sept buts à zéro !

Je n'ai même pas été inquiété une seule fois devant mon filet à part quelques tirs de routine. Saad et Pacifique ont été si effi-caces que personne n'est parvenu à les contourner ou à les surprendre à contre-pied.

À l'avant, Clarence a compté par deux fois, Romain et Dzevad une fois chacun. Kim, Yacine et Marc-André, qui sont milieux de terrain, ont aussi percé la défensive de nos rivaux pour expédier le ballon derrière le gardien.

Le tumulte des « atypiques » dans les gradins a décuplé. L'arbitre – un jeune homme de Sainte-Aldegonde – a dû adres-ser deux réprimandes à Jalbert et Noëlla qui lançaient des coquilles d'huître sur l'aire de jeu pour exprimer leur enthou-siasme.

Mais j'ai bien vu qu'il se retenait de rire quand il a regagné son poste sous les « Mort à l'arbitre ! » véhéments d'Angeline qui le menaçait de son tricot tenu à bout de bras.

Il va sans dire que, à la fin du match, les mines des spectateurs de Lac-Potache sont plutôt basses. Perdre avec un tel écart de points est toujours embarrassant, et lorsque cela arrive à domicile, sur son propre terrain, l'affront paraît amplifié.

Pendant toute la partie, j'ai remarqué un fait curieux. Ou plutôt l'absence d'un fait curieux.

C'est pourquoi, quand nous retrouvons les véhicules pour retourner à Rivière-aux-Moustiques, je *sais* ce qu'il nous faut faire lors du match suivant pour mettre fin définitivement aux tentatives d'intimidation devant la maison des joueurs.

Mais pour ça, une fois de plus, j'ai besoin du concours de Mme Gracienne…

Et d'Angeline.

CHAPITRE 21
Encore plus d'intimidation

La prochaine partie de notre saison de soccer se déroule le mercredi suivant, encore à l'extérieur de Rivière-aux-Moustiques. La ville hôte est celle-là même où nous avons disputé notre match de qualification : Grosse-Pierre !

Lors de cette joute homérique, l'équipe des Cailloux-de-Feu a remonté un déficit de six buts grâce à un artifice malhonnête*. Le capitaine du club a manqué de perdre son titre et il s'en est fallu de peu que l'équipe elle-même soit disqualifiée par les officiels de l'ASoCo.

---

*   Voir le tome 2 de la série : *Le Masque de l'avant-centre*.

Même si les joueurs et leurs parents se sont fort bien acquittés des sanctions les obligeant à organiser les activités de financement pour l'achat de notre uniforme, je crois que plusieurs partisans de ce club nous en veulent toujours pour la confusion qui a marqué la fin de la partie et pour les graves reproches de l'ASoCo...

C'est pourquoi, le matin du match, je ne suis pas surpris d'apprendre que...

— Il y avait une tête de poupée pleine de ketchup pendue devant chez moi, s'inquiète Pacifique.

— Et devant notre maison, c'était un gros ourson en peluche dont les yeux avaient été remplacés par des scarabées en plastique, se tracasse Saad.

— Des photos de vieux films d'horreur avec des plumes noires collées dessus, émet Marc-André, les yeux papillotants. Trois grandes affiches.

— Chez nous, un crâne et un squelette humains, dit Yacine.

— Des vrais ? s'effraie Kim.

— Non. Des trucs en plastique, corrige Yacine.

— Et rien devant chez moi, se vante Dzevad, les bras croisés, en fixant nos compagnons.

— Ni chez moi, ajoute Clarence.

J'interviens donc :

— Ni chez nous. Ça prouve que les mauvais farceurs se concentrent sur ceux qu'ils estiment les plus influençables. S'ils avaient confiance en leurs maléfices, nous serions tous victimes de leurs mystifications.

— Et ils ne se sentiraient pas obligés de multiplier les vieux jouets brisés et les affiches dégueulasses devant vos maisons pour vous intimider encore plus, ajoute Clarence. Ils savent que vous avez gagné malgré tout à Lac-Potache la dernière fois.

— Ils veulent peut-être contrer la magie de Mme Gracienne, suppose Pacifique, la lèvre un peu tremblotante.

— En ce cas, aujourd'hui, il risque de découvrir qui maîtrise le mieux les envoûtements, déclare Clarence avec un sourire mystérieux. Des amateurs dans leur genre ou une vraie Africaine dont la grand-mère était sorcière ?

J'ajoute d'un air malicieux, mais d'une voix mécontente :

— Et ça devrait vous convaincre de cesser de réagir en… pigeons.

M. Latulippe, l'entraîneur des Cailloux-de-Feu, et M. Bolorsk se revoient pour la première fois depuis la partie des qualifications. Ils se serrent la main et échangent des politesses.

— Bien content de vous retrouver, *shclipen* ! Je vous souhaite un bon match.

— À vous aussi, cher monsieur Bolorsk. Ah ! Et toi, ma jolie Clarence, très heureux de te croiser de nouveau.

— Bonjour, monsieur Latulippe, réplique mon amie haïtienne en gardant le sérieux formel qu'elle affichait lors de sa rencontre précédente avec l'entraîneur.

— Et bonjour à toi aussi, Iago. Je suis heureux d'avoir l'occasion de vous remercier encore une fois, tous les deux. Je vous suis reconnaissant pour la façon élégante dont vous avez calmé les esprits lors du match qui nous a opposés. Si je peux faire quelque chose pour vous renvoyer l'ascenseur, j'en serai ravi.

— Vous avez déjà fait beaucoup en supervisant les activités de financement qui nous ont permis d'obtenir notre uniforme, monsieur Latulippe, dis-je avec respect.

— Cependant, fait Clarence en tapotant ses lèvres avec un doigt, on aurait peut-être quelque chose de plus à vous demander.

— Vraiment ? s'informe M. Latulippe.

— Quelque chose de plutôt... inhabituel.

— Dites toujours.

Clarence toussote un peu, le poing devant sa bouche, puis demande :

— Croyez-vous qu'il serait possible de réunir tous vos joueurs dans les gradins là-bas ?

L'entraîneur des Cailloux-de-Feu fronce les sourcils. Il tourne son regard vers M. Bolorsk qui fait semblant de s'intéresser à ses ongles. Il repose les yeux sur nous et demande :

— À côté de vos partisans de la maison des f... hum ! pardon. Du centre de soins pour déficience intellectuelle ?

— Oui.

— Pourquoi ?

— C'est pour une expérience. On ne peut vous en dire plus pour le moment, mais nous vous promettons que ça ne causera de tort à personne.

— Eh bien, euh... d'accord, finit par accepter M. Latulippe.

CHAPITRE 22

Les poupées vaudou

Les dix joueurs des Cailloux-de-Feu sont réunis dans les gradins. Ils sont rassemblés en trois rangées, formant ainsi un groupe assez compact. Je crois qu'ils ont agi d'instinct afin de ne pas se trouver trop près de leurs voisins, les patients du Jardin des érables, et de se rassurer les uns les autres. Leurs parents et leurs partisans sont dans les gradins de l'autre côté du terrain, ce qui nous arrange, car nous voulions isoler les joueurs un moment.

Ceux-ci nous jettent des coups d'œil qui ne sont guère amicaux. Même s'il n'y avait pas eu ce conflit qui les a obligés à trouver les sources de financement nécessaire pour l'achat de notre uniforme, il y a toujours cette animosité due à la rivalité qui oppose deux équipes adverses.

Langlois et Bissonnette sont assis sur le banc le plus bas. Dans la deuxième rangée, celle du milieu, nous retrouvons quatre joueurs et, dans la troisième, la plus élevée, nous reconnaissons les mines mauvaises et les regards revanchards de Proulx, Ouellet, et surtout… Gagnon. Mais tous ceux qui portent les couleurs des Cailloux-de-Feu troquent leurs expressions irritées pour une grimace interloquée lorsqu'ils voient apparaître Mme Gracienne avec son allure particulière.

M. Latulippe dit à ses joueurs :

— Les garçons, avant d'entreprendre le match, il faut que vous sachiez que, depuis quelques jours, il y a eu de nombreuses tentatives d'intimidation contre nos amis de Rivière-aux-Moustiques. Des actes de vandalisme, possiblement même de sorcellerie, ont été perpétrés devant la maison des joueurs. Ces gestes sont déplorables.

— Ce n'est quand même pas pour nous accuser qu'on nous a fait asseoir ici ? se rebiffe Langlois avec un air outré.

— Non, ne t'en fais pas. C'est simplement que madame… euh…

— Gracienne, rappelle la femme.

— Que Gracienne, oui, qui est sorcière, aimerait procéder à une forme de…

— Cérémonie.

— Cérémonie, voilà, avant le début de la partie. Cela ne vous causera aucun tort, mais cela aidera l'équipe de Rivière-aux-Moustiques à combattre le mauvais sort.

Les gars de Grosse-Pierre échangent des regards à la fois intrigués et inquiets.

— Une sorcière ? s'étonne Bissonnette. Mais personne ne croit à…

— Tu serais surpris d'apprendre tout ce que tu ignores, petit Blanc, l'interrompt la femme en prenant cette intonation un peu rauque qui n'est pas vraiment sa voix naturelle. En Afrique, nous savons des choses que bien peu d'Occidentaux peuvent se vanter de connaître.

Bissonnette déglutit, car on dirait que sa bouche s'est asséchée d'un seul coup. Les joueurs des Cailloux-de-Feu fixent maintenant Mme Gracienne avec plus d'attention encore. Leurs partisans également. Même les patients du docteur Astregham restent silencieux, preuve que la mise en scène est efficace.

Moi, pendant ce temps, je croise surtout les doigts en espérant ne pas m'être trompé et avoir découvert les vrais coupables.

— En fait, reprend Mme Gracienne, nous connaissons l'allure de ceux qui sont responsables des tentatives d'intimidation. Nous savons qui ils sont et, moi, je m'apprête à leur jeter un très vilain sort.

Et, dans un geste théâtral, de son sac en paille tressée, elle tire deux petites poupées de chiffon. Chacune est revêtue d'un maillot de soccer cousu à la va-vite et coiffée d'un capuchon.

Tout le monde fixe les figurines en exprimant diverses émotions, de la curiosité la plus vive à la peur la plus palpable. M. Bolorsk, Clarence et moi n'échappons pas à la fascination qu'exercent ces deux représentations. Il s'agit d'effigies évoquant les spectateurs mystérieux que j'ai repérés lorsque nous étions à Rivière-aux-Moustiques, mais non dans les autres villages.

— Ces poupées vaudou sont à l'image de nos tourmenteurs, poursuit Mme Gracienne, et je vais m'en servir pour faire agir ma sorcellerie.

Cette fois, on dirait que plus personne ne respire. Il y a une immobilité dans les gradins qui n'est pas sans me rappeler une vidéo qu'on viendrait de mettre en mode pause. Les partisans de Grosse-Pierre et les nôtres, incluant les « atypiques », gardent le silence, les yeux fixés sur la scène.

Puis il y a une grande aspiration d'air bruyante et unique, comme si quelqu'un avait ordonné à tout le monde de retenir son souffle à la même seconde. Mme Gracienne vient de tirer de son sac en paille tressée une longue aiguille menaçante !

CHAPITRE 23

Le douloureux maléfice

La mince tige de métal renvoie des éclats de soleil sinistres. Mme Gracienne la tient un moment au-dessus de sa tête afin que chacun puisse bien la voir. La menace est évidente, et les yeux de la sorcière parcourent les joueurs des Cailloux-de-Feu.

La voix de la femme, bien qu'inchangée, nous paraît plus rauque encore, plus redoutable, dans l'air devenu statique.

— Je laisse une dernière chance aux coupables qui se cachent sous ces cagoules de se dénoncer eux-mêmes. S'ils refusent de faire amende honorable, j'userai de mon aiguille pour les châtier.

Silence.

Immobilité.

Tant chez les jeunes que du côté des parents et des partisans.

La peur et la fascination sont si palpables qu'il me semble qu'elles nous écrasent de leur poids.

— Toujours rien ? demande Mme Gracienne. Je dois donc procéder aux sanctions ?

Re-silence et re-immobilité.

Je note des gouttes de sueur qui perlent çà et là.

— Alors tant pis ! explose Mme Gracienne.

Et elle plonge sa longue aiguille dans le derrière d'une première poupée !

Dans un cri épouvantable, Gagnon bondit sur son banc en faisant sursauter ses compagnons autour de lui. Du coin de l'œil, je note que même certains partisans de Grosse-Pierre tressaillent.

Sans attendre, Mme Gracienne plante son dard dans le postérieur de la seconde effigie. Aussitôt, c'est Ouellet qui hurle à son tour en se redressant. Sautillant sur place, il marie ses cris et ses énervements à ceux de Gagnon.

— Arrêtez ! lance ce dernier. Arrêtez de nous torturer ! Nous avouons tout.

Mme Gracienne exhibe l'aiguille au-dessus de sa tête pour que chacun constate qu'elle ne touche plus aux poupées.

— C'est nous, c'est nous ! psalmodie Ouellet en courant à gauche, puis à droite. Je vous en prie, ne recommencez pas ! Ça fait mal !

Aux regards plus étonnés qu'apeurés que leur jettent leurs coéquipiers, je comprends que l'initiative de Gagnon et de Ouellet était inconnue des autres.

— C'est vous ? demande M. Latulippe. Mais vous quoi ? Qu'est-ce que vous avez fait ?

— On a cherché à intimider les Atypiques les matins des matchs pour qu'ils perdent, clame Gagnon, les deux mains sur ses fesses. C'était juste pour rigoler.

— Et on voulait qu'ils perdent pendant toute la saison, ajoute Ouellet en se tenant lui aussi le derrière. Pour se venger un peu de ce qui s'est passé l'autre jour.

— Et comme ça, on n'aurait pas eu à les affronter en finale, confesse Gagnon.

Je tends un index vers eux :

— Et vous avez pris la peine de parcourir à vélo la distance entre Grosse-Pierre et Rivière-aux-Moustiques pour vos mauvais coups ?

— Oui, oui, ouiiiiiiii ! se lamente toujours Gagnon. On a même assisté à vos deux premiers matchs pour constater les effets de nos mises en scène. Mais je t'en prie, Iago, dis à la sorcière de ne plus recommencer. C'est douloureux.

— On a juste un peu dessiné sur la clôture de l'Haïtienne sans rien briser, plaide Ouellet. Et pour le reste, les poupées, les toutous, les anciens jouets en plastique et les plumes de coussins, c'étaient de vieux trucs trouvés dans notre grenier et dans le garage de Gagnon.

De la salive perle entre les dents de Clarence, caractéristique de ses moments de grande colère. Elle siffle :

— Mon père a dû repeindre la clôture ! Il ne l'a pas trouvée drôle, votre blague ! Vous êtes chanceux qu'il n'ait pas porté plainte à la police pour votre vandalisme !

— Tu veux que je recommence ? demande Mme Gracienne en présentant son aiguille.

— Noooooon ! s'effraie Gagnon en se mettant à courir pour s'éloigner des gradins.

— Ça fait maaaaaal ! renchérit Ouellet qui lui emboîte le pas.

Tous les deux galopent en direction de leurs parents qui les observent, immobiles, bouche bée.

Un rire espiègle attire l'attention de tout le monde vers les bancs où étaient assis les coupables.

Dans l'espace qui sépare les sièges superposés en escalier, nous apercevons le visage d'Angeline, qui s'est camouflée en dessous des gradins. En exhibant la pointe bien effilée de l'une des aiguilles d'horloge qui lui servent de broches à tricoter, la femme s'esclaffe :

— Quels douillets, ces deux garçons! C'est à peine si je les ai touchés.

Ce jour-là, nous gagnons par quatre buts à un contre les Cailloux-de-Feu, mais il faut dire que l'équipe de Grosse-Pierre a dû disputer le match avec huit joueurs seulement – incluant un substitut. Gagnon et Ouellet ont été suspendus par l'arbitre, le temps qu'on statue sur leur sort.

Nous nous apprêtons à retourner à Rivière-aux-Moustiques, contents de notre victoire. Cela n'empêche pas Pacifique, Kim, Saad, Yacine et Marc-André d'afficher des mines penaudes. Ils se sentent un peu ridicules de s'être laissé influencer par les blagues idiotes des deux revanchards.

Mme Gracienne, en agitant un index sous le nez de Pacifique, dit:

— Je crois que 90% de nos victoires ou de nos défaites, dans la vie, dépendent de notre attitude, pas de la sorcellerie. J'espère que toi et tes camarades avez bien saisi ce message.

— Et les 10 % qui restent ? C'est de la magie ? s'informe Pacifique.

— Non ! De la chance, gros bêta !

Mon copain congolais, penaud, hoche la tête. Ses parents, qui discutent à l'écart avec ceux de Clarence, nous jettent un petit coup d'œil et rient sous cape.

— Si tu étais mon véritable petit-fils, poursuit Mme Gracienne, la prochaine fois, je te botterais le derrière pour que tu le comprennes.

— Tant que vous n'utilisez pas vos poupées vaudou, rigole Clarence.

Le docteur Astregham, qui vient de superviser le retour de ses patients dans le minibus, s'avance vers nous. D'un ton énigmatique, il dit :

— Et il y a quelque chose de plus étrange encore qui se passe dans l'esprit de ceux qui se sentent persécutés ou accusés. Comme psychiatre, j'en connais un rayon !

M. Bolorsk s'informe :

— Quoi donc, par exemple, *crapountch* ?

— Savez-vous ce que vient de m'avouer, Angeline, à l'oreille ?

— Si elle t'a parlé dans l'oreille, comment veux-tu qu'on le sache, *shclipen* ? grogne notre entraîneur avec cette fausse mauvaise humeur qu'il emploie même quand tout va bien.

Le docteur se tourne vers le minibus où nous apercevons les visages de Romain, d'Amédée, de Noëlla et de quelques autres collés aux vitres. Il crie :

— Angeline ! Ho ! Où es-tu ?

La tête de la femme apparaît près de celle de Noëlla. La fenêtre s'ouvre. Le directeur du centre de soins demande :

— Répète à nos amis ce que tu viens de me confier.

— Je dis que je déteste devoir porter des lunettes, se plaint Angeline. C'est comme un fauteuil roulant pour les yeux !

— Non, l'autre chose ! corrige le docteur Astregham.

Elle présente son tricot enroulé autour de ses aiguilles d'horloge.

— À propos de ma broche ?

— Oui.

— J'ai dit qu'il n'était pas question que j'en abîme l'extrémité avec les pantalons sales de ces petits voyous ! Alors je leur ai seulement touché les fesses avec le bout de mon doigt.

— Tu ne les as pas piqués, donc ?

— Jamais, c'est juré ! Mon tricot ne sera pas taché par des broches malpropres.

Le docteur Astregham tourne vers nous des sourcils relevés très haut sur son front. Il déclare :

— Qu'est-ce que je vous disais ? Il suffit de croire en une chose, bonne ou mauvaise, et nous risquons de *penser* qu'elle se produit réellement.

Et il s'éloigne en nous abandonnant, hébétés et muets.

C'est la voix de Mme Gracienne qui finit par briser le silence. Elle conclut :

— Qu'est-ce que vous êtes naïfs, vous autres, de croire encore à la sorcellerie !

Du même auteur chez d'autres éditeurs

Jeunesse

Série *L'Antihorloge*, Bayard, 2015-2016. (3 titres)
Série *Les Voyages de Nicolas*, Dominique et compagnie,
    2007-2013. (13 titres)
Série *Flibustiers du Nouveau Monde*, Dominique et compagnie,
    2011-2013. (3 titres)
Série *À Bord de l'Ouragan*, Éditions Hurtubise, 2012. (2 titres)
Série *L'Après-Monde*, Bayard Jeunesse, 2011-2012. (2 titres)
Série *Pirates*, Éditions Hurtubise, 2008-2010. (5 titres)
Série *Pinso, Louis et Mathilde*, Dominique et compagnie, 2003-2008. (5 titres)
Série *La Bande des cinq continents*, Soulières éditeur, 2005-2007. (5 titres)

Cahokia, Boréal, 2016.
OVNI, Soulières éditeur, 2015.
La Gentillesse des monstres, La Bagnole, 2014.
La Forme floue des fantômes, Soulières éditeur, 2014.
L'Affaire María Gómez, La Bagnole, 2012.
La Dame de Panamá, Éditions Hurtubise, 2012.
D'Or et de poussière, Éditions Hurtubise, 2012.
Le Coup de la girafe, Soulières éditeur, 2012.
Le Rôdeur du lac, Dominique et compagnie, 2010.
Trente-neuf, Boréal, 2008.
Au temps des démons, Éditions de l'Isatis, 2008.
Le Sentier des sacrifices, La courte échelle, 2006.
Le Parfum des filles, Dominique et compagnie, 2006.
Les Tueurs de la déesse noire, Boréal, 2005.
Les Crocodiles de Bangkok, Éditions Hurtubise, 2005.
La Déesse noire, Boréal, 2004.
L'Intouchable aux yeux verts, Éditions Hurtubise, 2004.
Le Ricanement des hyènes, La courte échelle, 2004.
Derrière le mur, Dominique et compagnie, 2004.
La Caravane des 102 lunes, Boréal, 2003.
La Marque des lions, Boréal, 2002.
Absence, Éditions Héritage, 1996.
Les Démons de Babylone, Éditions Héritage, 1996.
Les Lucioles, peut-être, Éditions Héritage, 1994.
L'Empire chagrin, Éditions Héritage, 1991.
Les Griffes de l'empire, Éditions Pierre Tisseyre, 1986.

Adulte

Et dieu perd son temps, Éditions Alire, 2016.
Cartel, Éditions Alire, 2015.
La Croix blanche et l'épée, VLB, 2014.
L'Homme de partout, L'Hexagone, 2013.
Un massacre magnifique, Éditions Hurtubise, 2010.

(+ 6 autres titres)

CAMILLE BOUCHARD

Camille Bouchard entraîne ses lecteurs, grands et petits, sur divers continents, en de nombreuses époques. Auteur et aventurier, il écrit constamment et voyage inlassablement. Ses œuvres ont remporté de multiples et importantes récompenses. Il fut lauréat d'un prix du Gouverneur général en 2005, puis finaliste à cinq reprises, notamment pour *Les Forces du désordre*, publié chez Québec Amérique en 2015.

camillebouchard2000@yahoo.ca
www.camillebouchard.com

AS-TU LU ?

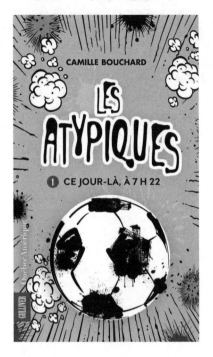

CAMILLE BOUCHARD

LES ATYPIQUES

❶ CE JOUR-LÀ, À 7 H 22

En plein recrutement pour le soccer régional, Iago et Clarence sont chargés de récupérer leur ballon tombé à l'intérieur des murs de « la maison des fous » ! Suivis dès leur sortie par une bande de joyeux lurons, ils voient la sélection prendre un drôle de tour.